青春の言葉たち

SAWAKI KOTARO

SESSIONS

沢木耕太郎セッションズ〈訊いて、聴く〉

II

沢木耕太郎

岩波書店

沢木耕太郎セッションズ〈訊いて、聴く〉 Ⅱ

耳を澄ます

沢木耕太郎

私の幼い頃の最も甘美な記憶のひとつに、日曜日の夕方、縁側で弱い西日を浴びながら父親の朗読する声を聞いているという情景がある。父親は、新聞に連載されていた子供のための冒険活劇の読物を切り抜き、毎週日曜になるとそれをまとめて読んで聞かせてくれていたのだ。私は耳を澄ますようにして聴きながら、次の展開を早く知りたくて、「それで、それで」と心のうちでつぶやいていたような気がする。

この『セッションズ〈訊いて、聴く〉』に集められた対話は、すべて「対談」と銘打たれて雑誌や新聞に掲載された。しかし、どれも純然たる対談とは言えないところがある。私が相手の話に耳を傾けていることが多かったからだ。とはいえ、「インタヴュー」だったのかというと、そうとも言い切れない。インタヴューにしては逆に私が話をしているところが多すぎる。

だから、この四冊を「対談集」と名づけるのは落ち着きが悪いし、「インタヴュー集」と呼ぶのにも違和感を覚える。

はて、なんと呼ぼう。考えているときに一本の外国映画を見た。その中で、心理療法のために向かい合った二人の会話を、「セッション」と呼ぶのを知った。

セッションと言えば、音楽、とりわけジャズが連想される。たとえばジャム・セッションと呼ばれる演奏形態では、ゆるやかな方向性が設定されると、あとは演奏者の自由な判断によって音のやりとりがされるようになる。

考えてみれば、対談も、ひとつのテーマが提示されると、あとはその周辺を行きつ戻りつしながら自由に展開されていく。対談は、もとより心理療法の会話とは異なるが、その意味においてはまさにセッションそのものと言えなくもない。

ジャズが音によって会話するように、対談は言葉を用いて自由に話のやりとりをする。そのやりとりの中で、より多く「話し手」になるか「聴き手」になるかは、そのときの二人の状況や気分や流れによる。

私は、どちらかといえば、対談の場において「話し手」になるより「聴き手」になることを好んだ。

確かに、永くノンフィクションを書いてきたことによってインタヴューに慣れていたということもあったのかもしれない。だが、それ以上に、子供の頃から自分の知らない話を聴くのが好きだったということのほうが大きかったような気がする。

この『セッションズ〈訊いて、聴く〉』からは、縁側に座って未知の冒険活劇に胸を躍らせていた、あの幼い頃の私の姿が二重映しになって見えてくる。耳を澄ますようにして聴きながら、心のうちで「それで、それで」とつぶやいていた……。

目次

装丁　緒方修一
装画　桑原紗織

アクション・ターゲット

長谷川和彦
沢木耕太郎

はせがわ　かずひこ　一九四六年、広島県生まれ。映画監督。

長谷川さんは、この対談で中心的な話題となっている『太陽を盗んだ男』を撮って以後、まったく映画を作っていない。『太陽を盗んだ男』の公開が一九七九年だから、「撮らざる監督」として四十年が過ぎたということになる。

若い読者の中には、長谷川さんを映画監督としてより、麻雀業界の関係者と見なしている人もいかねないように思える。プロ雀士との戦いのほうが華々しく伝えられているからだ。

それでも、私にとっては、依然として素晴らしい作品をいつか撮るかもしれない映画監督として存在しつづけている。

あるとき、私の友人の弁護士から電話が入った。私はその友人にある事件の膨大な資料を預けたままにしているが、映画製作のためにその資料を借りたいと長谷川和彦が来ているがどうしたらいいだろうかというのだ。沢木にはすでに許可を得ているとのことだが、と。

長谷川さんにそんな許可を出した覚えはなかったが、私は貸してかまわないと告げた。長谷川さんがそれを使って映画を作るつもりならオーケーだと。

しかし。

それから十年以上経つが、長谷川さんが新作を撮っているという報を耳にしていない。

この対談は「Ｍｒ．Ａｃｔｉｏｎ！」の一九七九年六月号と七月号に分載された。

（沢木）

真面目なバカ騒ぎ

沢木　ついこのあいだ『青春の殺人者』を見たんですよ。長谷川さんの第一作ね。中野で、『鬼畜』と併映されているのを見た。まわりで見ていた大学生なんかは、僕が入っていったときに上映していた『鬼畜』のほうにかなり反応を示していた。つまり、映画が終わると泣いているんだよね。それはかなり異様な感じだった。ところが、ですよ、僕には『青春の殺人者』のほうがはるかに面白かった、予想外に（笑）。

長谷川　予想外にね（笑）。

沢木　つまらないだろうと思っていた。それはこういうことなんですよ。僕が最初に出した本は『若き実力者たち』というタイトルがついている。本当にひどい題だと思うんですよ。陳腐で。それと同じくらい『青春の殺人者』というタイトルも陳腐だと思っていた。僕は、もし長谷川和彦が『若き実力者たち』っていう本を書いたら、読みやしなかったね、絶対に。と同じように、僕は『青春の殺人者』をこれまで見たことがなかったわけ。

長谷川　なるほど。よくわかるな、その感じは。

沢木　でも、見たら頑張ってるんですよね。特に前半。僕にはその頑張りが意外だった。父母殺しでしょう、ストーリーが。そのなかでオフクロを殺す部分を、延々と、一生懸命やっていて、そこがとてもよかった。驚いたのもそこらへんなんですよね。それが、あとのほうでオヤジを殺す部分になると図式化というか絵ときをしちゃっている。こっちはあんまり感動できなかった。で、どっちが見る側に激しく伝わるかっていえば、絵ときをしていない母親殺しのほうだろうと思ったわけですよ。

長谷川 うん。

沢木 そういう印象のなかで長谷川さんの第二作『太陽を盗んだ男』の「予定稿」を読ませてもらいました。まず、今日はその話をしようと思ったんですね。

長谷川 「予定稿」は、いわばどういう映画を作るか、そのためのタタキ台のようなもので、自分でも完璧なものだとは思っていないよ。言い訳めくけどね。

沢木 うん。それでも面白いと思ったな。なんていったらいいのか……できちゃってるんですよね、完全に。細かいところを含めて、みんな面白いと思った。でもね、この映画の爆発力みたいなものがどこにあるのかって考えると、そこがまだ希薄なように思えたんですよ。ただ一点、潜んでいるとすればこの映画の主人公を演じる俳優の「肉体」ですよね。その肉体の中に何かを発見できれば、爆発力が出てくる。しかし沢田研二がやるわけでしょう？

長谷川 そうなんだ。だからね、沢田がいま何をやっているかというと……芝居のことなんか何も考えないでいいと、要は主人公のマッドボンバーの肉体になってこいと言ってある。別にヘラクレスにはならんでいいわけだ。自分で体をいじめて犯罪者の体作っといてくれればいい。基本的に、スタントは極力使わないでいこうと思っているからな。

沢木 なるほど。

長谷川 沢田の、ショーアップされたアンニュイ〈倦怠《けんたい》〉なんて一切いらない。それはすでに充分あるからね、奴には。

沢木　僕の印象では、沢田研二が出れば、絶対にある水準にはいくと思うんですよね。ふさわしすぎるくらいの存在だからね。ストーリーとしてもよくできている。そこで問題は長谷川和彦が何に頑張るかってことだと思うんだ。一つは、徹底的に観客を飽きさせない面白いものを作ることだと思う。実際にカメラを回していけば絶対に出てくるだろう沢田研二の倦怠感みたいなものは、前にどこかで見たような気がする。質的にまったく違うものを引き出して展開していくほうがいいっていう気がするな。

長谷川　うん。むずかしいんだ沢田の場合は。俺も、TBSで前に書いた『悪魔のようなあいつ』で、奴とのプラスとマイナスは経験してるんだな。まったく無名の新人を使ってみようかってことも考えた。しかし、無名の新人じゃ悲しいかな三億かけて映画を作ろうっていうときの説得力に欠けるんだ。で、沢田がどういう感触か一回しゃべってみようと思ったんだ。そしたら「やりたい」と。なぜやりたいのかっていうと「原爆だからやりたい」って言う。「ダイナマイトやただの爆弾なら面白くない」と。相手も言葉でうまくいえない男なんだが、奴の中にもバカ騒ぎというか、冗談を真面目な顔してやりたいという気分がきっとあるんだな。そのへんが俺と沢田の接点だと思ってる。

ベースはロマン

沢木　映画っていうのは、コマとコマの間から何か伝わってくるものが必要でしょう？　『タクシードライバー』でいえば、こちらはロバート・デ・ニーロという俳優が出てきたことでショックを受けた。そういう種類のショックを映画の受け手にどこで与えようと思っているんだろう、長谷川さんは。

長谷川　俺はこれを徹底して肉体的な映画に作ってみたいと思っている。それが起爆剤になればと思っている。肉体的な映画が少ないんだよね、いまは。なぜかっていうと、やっぱり時間と金がかけられないからだ。それを技術でごまかす。そのほうが合理的だからな。そのやり方で、テレビならできるんだ。しかし、映画に必要なのは合理性じゃないんだ。ひたすら合理的に映画を作ろうとすれば、まずダメになる。ドライとかウェットとかっていういい方もできる。テレビはドライだ。映画はウェットだと思う。

沢木　うん。そこで、僕が気になったのは『太陽を盗んだ男』には予定調和的なところが多すぎるんじゃないかってことなんだ。『青春の殺人者』には予定調和的な部分がわりと少なかった気がする。ところがこのストーリーは先が読めちゃうんだ。脚本自体は十分に面白いけど、予定調和ってことからいうとちょっと気になるところがある。別の緊張感が一本走ってないとヤバイんじゃないかと思う。壮大な失敗作になるよりも、小さな成功作になっちゃう危険性があるんじゃないだろうか。

長谷川　つまり、構造としてできあがったものを、絵、映像の部分でどうやって壊していくかってことだな。図式的なストラクチャーを、自分で納得できる映像作りをする中で、どうやって超えていくか、そこが勝負になると思うな。

沢木　見る側からの希望をいうと、まずハードな活劇を見せてもらいたいんだよね。その活劇がパーンとはじけた時に、なんか説明のつかない倦怠感が出てきたら、それでもう大成功だと思う。説明のつく倦怠感じゃ、いつか見たシーンなんですよね。

長谷川　「００７」には活劇があって、それ以外ないわけだ。バカないい方だが俺は「００７」であり『タクシードライバー』であるような、そういう映画を作りたいね。

で、俺は沢木さんの書いてきた本をほとんど読んだけれども、共通するのはお互い、かなりメロウなんだよな。俺は恥ずかしながらいまだに『エデンの東』みたいな映画、好きなんだ。去年だったかな、かなりエエ歳こいてまた見たんだけど、やっぱり泣ける映画っていうのは、主人公に感情移入して見たいわけよ。それが映画じゃないかと、俺は思う。

沢木　僕はあんまり映画を見るほうじゃないけど、最近『ミッドナイト・エクスプレス』を見た。すごいと思った。恐怖を感じたな。それは、僕があの映画の主人公と同じ時期に舞台であるトルコにいたという個人的な理由を除いてもかなりすごい映画だと思った。説明は何もないわけなんだ。異国っていうのは理不尽に存在するわけだからね。とにかく理不尽に主人公は逮捕されて終身刑になってしまう。その理不尽の真っ只中にたたき込まれた奴が、右往左往しながら下降していく感じが、すごい恐怖でさ。それを説明なしに恐怖だけで見せてくれる。それがすごいと思った。

『太陽を盗んだ男』の話に戻すと、その『ミッドナイト・エクスプレス』における国家の理不尽さみたいなものが、見えてこないということはあるかもしれないな。

長谷川　そこが本論だ。

沢木　国家でもいい。異国でもいい、刑務所でもいい、とにかく強圧的なガチッとしたものが一個あれば、その中で何をさせてもいい、下降させるも上昇させるも自由なんだ。『太陽を盗んだ男』では、そのガチッとしたものがないから、そこをどう納得させようかと思って、セリフで語らせている。そこにはやはり説明じゃなく仕掛けがほしいね。

長谷川　ベースはロマンだと思う。俺なりの言い方をすれば、ロマンとは敵がいるか否か、だ。

沢木　うん。それはわかる。

長谷川　敵がいれば闘いが生まれる。闘いってのはロマンでありうるわけ。例えば海が敵であったり、山が敵であったりする、そういう敵。ブッ壊してくれるぞっていう敵が七〇年以降、よけい見えなくなってきたな。

沢木　そうだね。

長谷川　それでもなお、不定形な不満が俺の中にはあるわけだね。その不満がなくなったら、俺は映画なんか撮らないんじゃないかと思う。その不満が何かといえば、基本的なところで「正義感」みたいなものとクロスしてくるわけだ。すごく生徒会長的な正義感だ。小学生のときクラスそろって母子物語みたいな映画を観に行って、女の子なんかが涙なんて流したりするだろ。ワルガキが「泣いてる、泣いてる」ってからかうんだよ。すると俺は本気で怒るのな、なんで泣いちゃ悪いんだって。それは正義感なんてものじゃないかもしれんのだが。別の言い方をすると、ある種のユートピア願望みたいなものが、俺にはある。アナキズムって言っちゃえばそれまでなんだろうが、それは個人が個人として好きに存在でき、コントロールがなくて、それでうまくやれるようなそういう状態だな。そういう状況をユートピアと見る幻想があるんだ。そしていまは、そういう状況じゃない。それに対する不満、それがあるから、俺は映画を作ろうと思うんだろう。

沢木　いま「正義」という言葉が出たけど、長谷川さんにとって「正義」っていうのは、どういうものなんだろう。明確なイメージ、あるのかな。

長谷川　非常に小学生的な言い方をすれば「自分より弱い奴を傷つけない」ってことかな。

沢木　その感じはとてもよくわかるけど、それは論理じゃなくて好みの問題になるような気がするな。

長谷川　あるいは、個人の欲望がすべてに優先するってこと、それが正義だ。

沢木　なるほどね。僕が言おうとしたのは、六〇年代が終わって七〇年代に入ったとき、あらゆる状況はもう「好きか嫌いか」ということで物語るよりほかに語りようがなくなってしまったんじゃないかということなんだ。六〇年代という時代までは、個に優先する論理、正義があったでしょう。

長谷川　そうだな。

沢木　僕にはささやかな仮説があってね。一九七〇年を境にして――かどうかは正確にはわからないけれど――何が正義であるか、何が非・正義であるか、何が正で何が邪かと言えなくなったと、とりあえず思うことにした。じゃ、何が言えるかというと、個人的な「好み」のレベルから言葉を発するほかなくなった。俺はこうするのが好きだ、嫌いだというレベルだね。それだけは個人の責任において語れるからね。正しいか正しくないかを言おうとすれば、普遍化しなければならない。あるいはもっと抽象的な何かに従って正しいか正しくないかと言われなければならない。七〇年っていうのは、全員が好きか嫌いかでしかモノをいわなくなっていく時代への過渡期だったんじゃないかと、僕は見ている。少しぞんざいな言い方をすれば、例えば雑誌の「ＰＯＰＥＹＥ」でもいい「ぴあ」でもいい。そこでコミュニケーションとして成立するのは、何が善で何が悪かじゃなくて、何が好きか嫌いか、あるいは何が高いか、安いか、なんだな。もっともそれが望ましいかといえばそうは簡単に言えなくて……しかし、そういう現状認識が僕には抜きがたくあるんですよ。

長谷川　好みというのは、もっといっちゃえば快楽ということだね。個人がすべてに優先するという俺の理屈は個人の快楽がすべてに優先するわけだ、きっと。

沢木　そうですね、うん。

長谷川　だから、人が殺すことが楽しい奴は、別に人を殺したって悪くないわけだ。

沢木　好きか嫌いの世界には、そのアナキズムを抑制する論理が何もない。

長谷川　論理はない。だけど俺の敵はそこなんだよ。すべてが実に巧みにコントロールされている。例えば「POPEYE」が「POPEYE」であり、「プレイボーイ」が「プレイボーイ」であることの一線を、絶対に超えない。三菱銀行強盗事件の梅川などを例にとればよくわかる。あれをオフィシャルに語るときには、語る人間自身がたいてい「常識」というブレーキをかけるわけさ。

沢木　そうだね。

長谷川　「いやあ、あの事件は本当に面白かった」なんて言うと、やっぱりマズイかなあっていうような「常識」がね。その「常識」ってものが、俺は恐いと思うんだよ。いまは、そういう「常識」こそが権力なんだから。権力はいまはシステムなんだ。例えばヒトラーはいない。仮りに明確な独裁者、権力者がいて、そしてそいつが消えていけば、そこで何が存在しなくなったのかが見えやすいけれど、いまはそうじゃない。目に見えないものの中で、たいていの人間はいい大学に入って、できるだけ安定した生活を手に入れて……と思っている。

沢木　その「システム」っていうのがよくわかりにくいな。

長谷川　つまり「常」なるものだよ。常識であり、日常であり……そういう「常」なるものを後生大事に支えていこうとする盲目的なバランス感覚が結果的に作り出してしまう、ある種の回路だ。例えば選挙がある。投票に行く奴が六〇パーセントとして、その半分は何も考えてないと思うね。残りの半分がまあまあ確信犯だ。行かない奴も含めて、要はほとんど七〇パーセント以上の人間が確信犯たりえていないわけだよ。それがあるときは「自警団」になり、ロッキード事件の関係者を非難し、巨人の江川事件のときもそうだがマス・ヒステリー現象を起こしている。そういった不気味なバランス構造を、俺はシステムというわけだ。連合赤軍事件があっただろ。奴らは仲間内のあのリンチ事件がオープンになるまでは「ヒーロー」だった。それが、事件が表に出ると、みんな血の気が引くようにさ、冷めていった。それはなぜなのかと思うわけだ。そこに内なる「敵」があるんじゃないかと。

沢木　それは、あそこでパッと引いていっちゃった世間の人々について考えたいのかな、それともそこで何なのかなと考える長谷川さん自身について考えたいの？

長谷川　その二つは俺の中でほとんど一緒だよ。俺はあれを素材にして映画を一本撮りたいと思ってるんだ。自分で本気で考えるために。政治だけなら大した興味ないんだ。男と女がいて、しかも個が複数になった時に、もうあいつら国家だったわけだな。たかだか四、五十人だが、すでに国家だったわけだ。

沢木　そうかもしれない。

長谷川　国家だから戦争を意志したんだろう。あれは俺の世代が経験した唯一の戦争だと思っているわけ。その戦争の中味を映画を作るってことで考えたいと思っている。

沢木　僕はその映画は見たくない、と思う。僕はいわゆるノンフィクションを書くライターというふうになっていて、連合赤軍について書いたらというオファーを受けることがあるんだ。いくつもね。そういうとき、僕は全然いい加減な答えをしながら、心の中では、とんでもないっていう感じがあるんですよね。

長谷川　なんでだろう。

沢木　僕はね、例えば六〇年代のはじめごろに生きていた人間が山口二矢《おとや》のことを書かなかった、書けなかったってことが、すごくよくわかるわけですよ。それが僕には書けたっていうのは、山口二矢について書こうとした最初の時点で、山口二矢のあのテロルにどんな意味があったかなんて、実は俺にとってはどうでもいいことだったからじゃないかと思うことがあるからなんですよ。あとになって実はどうでもよくはなかったってことがわかるんだけど(笑)。僕は、連合赤軍の全体は、八〇年代、あるいは九〇年代を生きる奴らが、あるときぎっとすごいものを書くんじゃないかという気がする。書き手に、いま、長谷川さんがいった「俺にとって」というこだわりがあるようなうちは、なかなかいいものができないんじゃないかっていう思いが逆にあるな。

長谷川　完成度、ということか？

沢木　それもある。

長谷川　しかし、俺は不様でもいいし、亀裂があってもいいから、テメエがこだわってるものをやらないとイヤだという気があるわけだ。俺が作るものにしても、他人が作るものにしてもさ。

沢木　自分の話になるけど『テロルの決算』を書く時に考えていたのは、山口二矢であるとか浅沼稲次郎であるとか、テロルについてであるとかじゃなかった。あの時点で、僕にとってはノンフィクションの「方法」が最も重要な問題だったんだ。そこだけに延々こだわりつづけていたわけ。僕にとってはそこに意味があった。読者の中には作品の出来をさておいても、そのこだわりに対してだけでひとまずオーケーといってくれる人が何人かはいたと思うんだ。だから、長谷川さんが連合赤軍を撮ったとして、そこに「俺にとって」というのとは別の、作品としての一本の筋みたいのが見えてくれれば、そこで僕は個人的には了解すると思うんです。

そこでもう一度『太陽を盗んだ男』の話に戻すと、あの中では、僕が納得する「何か」、例えば方法でもいいし、素材でもいいし、ストーリーでもいい、そういうものに対する長谷川さんのこだわりの一本の筋が、僕には見えにくい。そこが気になるということを言いたかったのかもしれない。

長谷川 わかった。それは恐らく映像、絵の部分が解決するはずだ、といっておくよ。そう思ってなきゃ、これから何カ月かシンドイ現場監督はやれんからな(笑)。

沢木 でも、遠足の前の小学生のように見えますよ(笑)。

ドヤ街を通って大学に

長谷川 それはいいとしてだ。今日は、俺がホストで沢木さんがゲストなわけだよ。なんか、ひとつの話が終わっちゃったみたいだけど、ここから先、俺にも沢木さんに素直に聞きたいことがあるんだな。

沢木 あとは付録、みたいなものですけどね(笑)。

長谷川 沢木さんと俺は……。

沢木 僕が一つ下じゃないかな。昭和二十二年生まれだから。

長谷川 俺は早生まれだから、学年は二つ下だな。俺は高校まで広島だけど、沢木さんは?

沢木 僕はずっと東京。

長谷川 家業はなんですか。

沢木 オヤジは定職を持たずに、若いうちは、ヤクザな暮らしをしていて……。

長谷川　ほぉー、インテリ無宿っていう感じ？
沢木　そうですね。ただ、それをまっとうできるほどの迫力はなかったんだろうけど。俺にとってのジイさんに当たる人が明治から大正期にかけてのささやかな成金で、その金で食っていられた訳ですね。戦争でそれがパーになって、あとは手に職もなし。何もない人がどう生きるかっていうと、ま、本でも読んで暮らすか、という感じ。
長谷川　で、女の姉妹いるでしょ。
沢木　姉が二人。僕が一番下。
長谷川　うん。そういう感じだ。俺は末っ子の次男だけど、やっぱり長男で末っ子の分だけ俺よりたくましいな。
沢木　あ、そうですか？
長谷川　きれいだよ。自分がどのように大事な人間かということに関して。そこに末っ子の次男と末っ子の長男の違いはあるな。俺が『エデンの東』に感情移入できるのは、そこらへんもあるわけだ。
沢木　なるほどね(笑)。
長谷川　それで。さらに素直に聞いていくとだな、大学は？
沢木　横浜国立大学の経済学部。授業にはゼンゼン行かなかったけど、勉強はよくしたと思う。
長谷川　俺より二級下というと、一九六六年入学だ。
沢木　卒業は七〇年だった。
長谷川　この商売に入ったきっかけというのはどういうこと？
沢木　僕は大学を卒業してもおよそマスコミには行く気はなかったね。

長谷川　ガキの頃は何になろうとしていたわけ？

沢木　単純でね。プロ野球選手。本気でなれると思っていた。それが、中学のとき陸上部にスカウトされて、野球部に入りながら陸上もやっていた。中学のときは走り幅跳びで東京都で何位っていう程度で全国的なレベルにはいけなかった。都立の高校を出て、大学に行って、まあ普通に生きてたんだろうな。僕は、要するにちゃんと就職したかったんだよね。清く正しく生きたかったわけよ(笑)。会社にキチンと入って、給料もらいたかったんだよね。親父がそうじゃなかったから。

長谷川　うん。

沢木　会社説明会っていうのがあるでしょう。大学三年か四年のときに。そこらへんの段階で、いくつかの企業に決まっていた。とにかく、企業にとっては一番望ましい人間像っていう感じだったらしいからね。全部試験ナシで内定。

長谷川　どこらへんに決まっていたわけ。

沢木　まあ、そこらの会社ですよ。

長谷川　まあ、いいじゃないか。言っちゃえば。

沢木　銀行とか、商社とか、メーカーとか。丸の内に本社があるような、だからいわゆる「一流」とつく会社ね。そういうところで内定が三つ出て、とりあえずそのうちの二社に断りを入れた。それが要するに、七〇年にいろいろなことがあって、横浜国大では卒業が遅れたんですよ。三月に卒業できずに、六月になってしまった。そのとき、若干思うところがあって、俺はやっぱり就職しちゃマズイんじゃないかって思ったわけですね。それで、一つだけホールドしておいた企業も結局断りを入れに行った。

長谷川　大学が横浜国大であったということも、かなり影響しているってことか。

沢木　そうですね。

長谷川　大学に入るとき横浜国大は、ベストだったわけ？　例えば、東大が第一志望でみたいな。

沢木　うん。それは単純でね。僕は試験を四カ所受けたわけ。東大の経済学部、慶應の経済、それに横浜国大の経済、そして駿台予備校の午前部(笑)。で、東大に落ちたんで、残った三つのうちからどこを選ぶかという話になった。

長谷川　浪人までして東大にこだわるというつもりもなかったわけだ。

沢木　そう。そこはどうでもよかった。東大の経済に行かれれば一番よかったんだろうけど、大学の四年間をすごすのは、ほぼどこでもいいだろうと思っていた。

長谷川　東大へ行っていれば、いまこうなっているか……。

沢木　多分、なっていないでしょうね。

長谷川　それがどうして、こういう方向に歩むようになったのかな。

沢木　横浜国大っていうのは、横浜の日ノ出町と黄金町を通っていくところにある。知っていますか。あそこらへん。

長谷川　うん、知ってる。

沢木　なんていうか、ドヤ街ですね。その日ノ出町と黄金町を通っていくと坂があり、その坂は桜並木なんだ。入学式のときに、坂を登っていくとその上に学校があるというのは、すごいショックだった。それが毎日、毎日だからね。なんといっていいか、それしかいいようがないんだけどさ、日ノ出町と黄金町を通って桜並木を通っていくと、学校がある。四月になると、桜が、それはきれいに咲くわけですよ。入ったときから、言いようがなく凄い学校に来ちゃったと思ったね。だから、横浜国大の奴がどんなことを考えて、どんなことをしようと、僕は許せちゃう。だって、日ノ出町と黄金町があって、そういうドヤがあって、そこに生きている人たちがいるところを通過しなければ学校に行けないいんだからね。

長谷川 うん。だんだん沢木調になってきたな（笑）。面白くなってきそうだよ。

沢木 ハッハッハッ。

何が本質的か

長谷川 ぼつぼつノンフィクションに話をもっていきたいんだが、その前に、沢木の高校、大学時代の話をもう少し聞かせてくれ。

沢木 僕が入った高校は都立の南高校っていうところなんだけど、そこは僕たちが一期生だったわけですよ。つまり、僕たちがその社会を全部作ってきた。

長谷川 高校という社会での「長男」だったんだな。

沢木 まさに、そう。僕たち何人かがその社会を作ってきたんだけど、いざ大学入試の季節になると、どのくらいの成績だからどの大学を受けたらいいかっていうのがまったくわからないわけですよ。なにしろその上の先輩がいないから、統計の取りようがない。

長谷川 そのへんは面白いね。

沢木 規則を僕たちが作る。行事を僕たちがとりしきる。そういうふうにしてきたわけだから、高校を出る時にも何かしなくてはならないということを要求されていた雰囲気はあったな。

長谷川　つまり、最後まで「長男」的に、いわばスーパーマンであることをだな。

沢木　そう。それには二つあった。僕は陸上競技をやっていてまあまあの成績を出していたから一流の競技者になること、それと勉強もろくにしないで難なく東大に入って好きなように生きていくこと。それが僕に要求されていることだったんだと思う。くだらないけど、実際そうだったと思う。でも、僕にはオリンピックに出られる競技能力はなかったし、特に勉強をしないで東大に入る能力もなかったから、要するに横浜国大へ入った。その時に、どうして東大に入れなかったんだろうというふうには思わなくて、やっぱり俺はスーパーマンじゃないんだということを、とりあえず認識したわけですよね。そこでまたもう一度人生が始まって、そこからは普通に生きられれば普通に生きてみようという感じになって、それが大学の四年の時に、どうしても普通に生きられないっていうのが、大袈裟に言えば、やっぱり就職しちゃいけないのだと思って、就職先に断りにいった。

長谷川　俺が映画を始めたのは六八年なんだ。授業料月に千円だからっていうんで大学にダラダラいて、アメフットのキャプテンなんかやっていた。そんな時に今村プロの試験受けないかってきたわけだ。それで今村昌平の『神々の深き欲望』の沖縄ロケに行った。十カ月たって帰ってきたら全大学がバリスト、バリケード・ストライキを打っていた。日大までやっていた。これはショックだったね。東大のストなんか驚きゃしなかったけど、あの日大までバリストやってるのかと、ちょっと浦島太郎みたいな気分だった。俺の世代っていうのは六〇年に遅れたわけだ。七〇年には早すぎた。大学入ったのが六四年だったからね。大江健三郎流にいえば、「遅れてきた青年」だな。安田講堂が落ちた時は、俺はもうそのセミ・ドキュメンタリードラマのスタッフだった。監督が浦山桐郎でね。俺は助監督と同時に、学生の役をやらされたりするわけだ。中核でも社青同でもいいんで、デモの先頭でピッ、ピッと吹いてる奴は大体俺の下級生だから、オイちょっと撮影だから俺を一番に置けっていうと、まだ平和な時代だから、どうぞとか言ってくれたりしたわけだ。そこにライトがついて、フィルムが回る。そうすると、すでにそういう行為を客観的に見ざるをえない。ああ、これでまた気をイカせそこねたという感じ。時代に現役として嚙《か》めなかったという。

沢木　僕は、例えばインタビューされて、あなたは学生運動とどういう関わり方をしていたんですかという訊《き》かれ方をしたら、全然関係なかったというだろうな。

長谷川　それは何、ツッパリではなくてか。

沢木　無関係ですよ。本質的なところで何の関わりもできなかった。

長谷川　無関係ということは、自分の意思で無関係にしたということかい。

沢木　どう考えたって、本質的なところで関われなかったな。

長谷川　それは何だろう。運動をしてる奴らが烏合《うごう》の衆に見えたということか。

沢木　うーん、それはこういうことかもしれないですね。あの時代に大学にいて、関係なくいられるはずがない。だから関係は持っているわけ。が、しかし、僕の実感として言えば、全然本質的じゃないところにこだわり続けて、結局、本質的なところには関与できなかったという思いがあるんですね。

長谷川　俺は、単純に、石を投げるのが楽しかったわけだよ。もちろん、さっき言ったような遅れてきたという状況もあるさ。みんなは六時から遊んでいるのに、九時頃に来てしまったという。そういう気分で入ったら、向こうはもうこれしかないという感じになっている。そこらへんの沢木なりの実感を聞きたいんだ。

沢木　たとえば、僕にはこういうシーンがある。大学がバリケードで封鎖されている時に、封鎖をしている側の学生が市民を対象にしてシンポジウムみたいなものを学外で開こうということになった。それをやったのは僕の一学年下の奴らで、そのタイトルはわりとくだらないもので「近代の超克」とかついていているわけ。そのシンポジウムの議長というか進行役がいないから、僕にやってくれないかということになった。その時、後輩たちが文芸評論家の磯田光一さんと大学の哲学専門の教授を一人呼んだ。その時点では教授会と敵対した関係にあるわけだから、教授がそこに来てくれるというのは大変なことなんですよね。そこで僕の後輩たちは「近代の超克」というテーマで話すのだから教授としてのあなたの責任は追及しないと、そういう約束をして来てもらった。で、進行役の僕が教授にしゃべらせようとすると、バカな後輩たちが教授に向かって言うわけですよ。お前はまず最初に自己批判をしなければどんなことを言おうとしてもナンセンスだと。しかも、騒ぐのはそいつらだけじゃなくて、学生とは別に「私は横浜の一市民、一労働者ですが」みたいな前置きをする奴がいて「そのとおりだ、あなたはそんな偉そうなことをいう前に自己批判をすべきだ」なんてことを言う。さらに別の学生が立って「テメエ、総括しろ！」とか言い出す。僕は、そこで、教授に自己批判をやらせる気はないということと、もう一つはこの年長者に、「テメエ」なんて言うのは許さないと宣言するわけですよ。どう考えたって、それは認められない。そこですったもんだして、結局、後輩たちが企画した会は潰れそうになってしまう。潰れたって、何したって、僕は絶対「テメエ」という限り「テメエ」らの発言は認めないと頑張りつづけてしまった。そのあとで磯田さんに、あそこまで頑張らなくてもよかったんじゃないですかと言われたけれど、僕には、最初の約束を守ろうとしない後輩たちも許せなかったし、「テメエ」なんていう連中の発言を許す気にもなれなかった。それは、闘争とは本質的にまったく関係ないことなんですけどね。

長谷川　いや、本質的に関係あるんだ。それが。

沢木　僕にとってはそれが一番大事なことだった。僕にとっての七〇年とは「テメエとは言わせない」という、それだけなんですよ。

長谷川　そこが沢木と俺の違うところなんだ。「テメエ」という奴がいたら、俺は人間としてはそいつを唾棄《だき》しているわけだよ。気分としては。お前一人ならそういうことはいえないだろうとか、「総括」なんていう言葉お前が見つけたんじゃないだろうとか、思う。が、そういう付和雷同《ふわらいどう》する奴らがそういうことをいう状況を俺は面白いと思って見るほうなんだよ。「テメエ、総括しろ!」っていう奴らは、時代が時代だったら何もせずにジーッと座って聞いてる奴だよ。時代が時代なら独裁者に敬礼している奴だよ。が、そういう奴らがその時そういう言葉を使っているわけだな。要するに価値観が変わりつつあったんだ。一番程度の低い奴が一番先に変わるだろう。そして今は、「若い時はいろいろやったけど、男が家庭を持つと大変だよ」とか何とか言っているんだ、間違いなく。でなければ、もっと犯罪者がいなければおかしいんだから。基本的には、俺はそういう奴らを低いなと思っている。が、奴らがそういうことを言う状況が面白いと思っていた。だから、俺が仮にその会の議長をやっていたら、もっとアジって混乱させてみろと言ったと思う。

沢木　さっきの三菱銀行事件の梅川の話でいえばね、現場にいなかった者がいうのはむなしいかもしれないけれど、とりあえず僕だったら、ナイフを持たされて同僚の耳をそげと命じられてもそがずに頑張ってやっていくだろうなということはあるわけよ。たとえ殺されてもね。それは僕の倫理、だね。絶対にそぐべきではないと思っているわけ。ただ、現実には、そこでそいじゃった人がいるわけだ。その人に対しては、俺はそぐべきではないと、絶対にいわない。

長谷川　そこでだ。そいだ奴っていうのは「テメエ、総括しろ！」といっていた奴と同じような人なんだよね。

沢木　もしかしたらね。

長谷川　うん。だから、そういう極限状態なら沢木は理解してやれるわけだよ。

沢木　そうだね。

長谷川　だから沢木がいつも題材として選ぶ人間はヒーローなわけだよ。なぜヒーローかといえば、極限状態を知っているからだな。だから、そういう人間にはどんな嫌な奴でも、沢木はやさしさを見せてやるわけだ。

沢木　そうだね。

長谷川　それが「テメエ、総括しろ！」という、一番問題にならない、もうどうでもいい奴、こいつにはやさしくない。

沢木　そうかもしれない。

長谷川　沢木は確信犯なんだよ。俺なんか情緒不安定だから、そこで付和雷同したりする奴をバカだと思っても、あれは多分自分でもあると思うから、許せないとはいえない。だから時に情緒的確信犯を許さなくなるわけ。無知な情緒確信犯ね。

沢木　そこが僕と長谷川さんの違いだし、長谷川さんの魅力の淵源でもあるんだろうな。

ビーズ玉の首飾り

長谷川　じつは今日は、ここらへんから語りはじめたいと思っていたんだ。で、沢木さんの書いたものについて話したかった。だいたい全部読んでいるんです。『テロルの決算』は、単行本になった直後に読んでいる。あの本で言うと、浅沼稲次郎が面白かった。知らないことがずいぶんあったからね。精神科の病院へ入ったことがあるとか。でも、山口二矢に関しては俺はきれいすぎると思った。一方に大江健三郎の書いた『セヴンティーン』があるからさ。俺が自分で映画を撮る時に一作目として『セヴンティーン』をやろうかなと思った時期もあったんだ。あの惨《みじ》めさを撮ってみたいという気もあったんだ。沢木の書いた二矢は、右翼が、ああよく書いてくれたなという感じを持っちゃっているわけだよ。

沢木　右翼には嬉しかったかもしれないね。しかし、それは僕に言わせればこういうことなんだ。要するに、あれが山口二矢の実像なんだよ。大江健三郎の書いた二矢は実像じゃないんだ。僕は『政治少年死す』と『セヴンティーン』の二つ、ものすごくいいと思ってる。僕たちが緻密《ちみつ》にいくつか事実らしきものを重ね合わせても、大江健三郎はその奥にある何かをつかんじゃっている。だから僕はあの作業をやってから小説家を甘く見まいと思いはじめたわけ。だけど、実像か否かというような部分で言うのなら、僕が書いた山口二矢が彼の実像だと確信を持っていえる。一人の少年にとっての真実は『セヴンティーン』や『政治少年死す』のほうにはるかにあるぜといわれれば、それはそれで了解なんだよ。でも、山口二矢は一人の少年じゃなくて、山口二矢という少年なんだよね。

長谷川　となると、沢木がやっていることはなんぞやということがあるわけだ。いま、沢木はあれが実像なんだと言い切ったが、極端にいえば実像なんてないわけだよ。例えば、ここに一つのライターがあって、それをこっちから見ればこう見えるし、別の角度から見ればまた別に見える。そういうことってあるだろう。

沢木　それは当たり前のことで、例えばここにザラザラッとビーズ玉を一万個ころがす。その一つ一つが事実の断片だ。僕は、その一万個のビーズ玉をすべて使って首飾りを作ることができないから、百個のビーズ玉で首飾りを作ったわけだ。違う人間が同じ一万個の中から百個のビーズ玉を選べば、また違う首飾りができる。それは当たり前のことで、それはいいんだ。僕にとって大事なことは、百個のビーズ玉にどれだけの作り物、フィクションが入っているんだといわれた場合に、いやこれはすべて事実ですと。その部分で僕は対応しなきゃいけないんだ。だから、ノンフィクションのノンフィクションなんてありえないんで、ノンフィクションというのはみんなフィクションなんだという言い方には正当性はある。それは当たり前の話であって、ただし、そこでもし僕が作ったノンフィクションのフィクション性を責める場合には、この断片、事実は違っていると、こういう断片、事実があり、それによればこの実像が崩壊するというふうに出してこなければ、僕の首飾りは崩れないんだよ。だからさ、「ノンフィクション」について語っている時に、これが「真実」ですといって出す奴がいたらバカだよ。ノンフィクションに「事実」じゃない「真実」なんてないんだから。

長谷川　大江が辿《たど》りえた嘘もイメージも、イマジネーションもないまぜにして、ヤツのほうが真実に近づいたかもしれんという言い方を沢木がしただろう、俺の書いた二矢は実像なんだと、そういう言い方をしたから、俺はこういう低次元なことを言い出しちゃったわけだ。

沢木　ただ、僕が真実かもしれないという言い方をした中には、大江さんの作品を揶いあげたいところがあって、そんな真実なら俺にとってどうでもいいという思いもあるんだよ。フィクショナルなもの、想像力によって作り上げたものがより真実であるという言い方でもって真実というものを捉えるのだったら、僕はそんな真実はどうでもいいと思っている。僕はいま、ノンフィクションのライターとして、一つのルールを選んでいる。そして、そのルールの上では、とりあえずフィクショナルなものは用いない。それは少なくとも自分がフィクションと信じている断片は使わないということなんですね。そのルールによって作った像については、ここところはこう違うというふうに断片を崩してくれなきゃ、受け入れられないな、やっぱり。

長谷川　俺はこう思う。いま、沢木が非常に確信犯たりえようとしていっている言い方と、かつて沢木が、「テメエ、総括しろ！」と言った奴を許さないと言うことと、完全に一直線上にあるわけだよ。そこに共通項としてあるのは、沢木が自分を疑っていないということだと思うんだ。沢木が言うように一万個のビーズから百個を選ぶということは、結局、好きなものを、しかし否定的な要素も入れながらやはり一つの円環になるようなものを意識的にか無意識的にか選んでくるわけだ。それは絵を描こうが、音楽を作ろうが、同じことなんだ。そこで沢木が、俺は実像を書いているんだということに、あまりこだわっていたら、俺はつまんないぜと思う。

沢木　なるほど。

長谷川　もっと翔《と》んじゃえと思うわけだ。まだ臆病だと思う。

沢木　よくわかる。それは納得するね。いまの話とズレながら同じだと思うんだけど、例えばここに一人の人間の体があって、その体型に沿って針を突き刺していって一人の人間の輪郭を描く。それが人間の姿だと言えなくはないけど、人間にはやはりその中心みたいなものがあって、そこに斬り込むべきみたいなことがあるのに、お前はそこに斬り込んでいないじゃないかと言われたらどうするか。そこで使うべきなのは、やはり想像力なんですよね。でも、その想像力についても僕はルールにのっとろうとしている。断片を自分で勝手に作り出すためにその想像力を駆使しないと、僕はルールを立てちゃったから。だから、臆病と言えば臆病なんだけど……。

長谷川　それは臆病というよりも、美学を持っているわけだよ。例えば大学の何年かの時に「テメエ、総括しろ！」と言う奴は許さないという、そういう美学を持っているわけだ。

沢木　そうだな。

長谷川　俺は、そういう場合には確信がないわけだ。それを俺は情緒不安定というふうに言うわけだ。そして、情緒不安定であることが俺にとっては正直なあり様なんだ。で、最終的に沢木が正直になったら、ものを書くときに他人を書くという事じゃなくなってくるんだ。むしろ、政治的なリーダーになっていきかねないものを持っているわけだよ。お前、それを言わせないよというところがあるからな。どっちが良い悪いじゃないんだよ。だが、それにもかかわらず沢木はいま、ここにいるわけだ。一応能力があって、人に嫌われているわけでもないし、やさしさもわかっている、こわさもわかっている、肉体的に大して欠陥もない、女にモテようと思えばモテる。だけどどこか虚ろだからこういう商売を選んだわけだ。でなければ、予定どおり商社でも銀行でも行ってりゃいいわけだし。そこらへんでは俺たちは非常に大きな接点を持てるわけだ。

沢木　そうだね。本当にそうかもしれない。

長谷川　だから、最終的に自分というものを維持していく人間をやるんなら、俺はもっと翔んだ沢木を見たい。翔んだという言葉は正確じゃないな。もっと沢木自身が見たくないものを書いたり、円環にならないものを書いたりすることだ。こんなグロテスクなものは見たくないといって書いていない部分が沢木の文章の中には沢山あるんだよ。それをブッ壊す沢木が見たいという気持ちがあるね。一読者としては。

沢木　僕自身、もしかしたらもうそこに来ているのかもしれないし、それがよくわかるような気がする。

長谷川　俺と沢木との共通点はおそらくロマン探求ということなんだ。要はヒロイックなんだ。

沢木　そうだと思う。

長谷川　沢木が書いている主人公たちは、みんなヒーローなんだよ。それがどんな無名な人間でも、沢木がヒーローである要素を見つけられた人間しか書いていないわけだよ。それはすごく大きな共通点だと思う。俺の映画に話を引き戻していえば『青春の殺人者』で親殺しをした奴も、今度の映画で原爆を作ってしまうという奴も、俺にとってはヒーローなんだよ。ヒーローというのは、自分がなりたくてなれないということじゃなくて単純にまず、なりたいものだね。なりたいものを、見たいわけだよ。

沢木　うん。『青春の殺人者』を見て驚いたのは、あの中に巧妙にアンチ・ヒーロー的な部分が埋め込まれていることだったんだ。それでなおかつヒーローたりえている。水谷豊のやった主人公がそうだよね。

長谷川　なるほど。そうだな。

沢木　そこが面白かった。ところが、長谷川さんの第二作目『太陽を盗んだ男』には、脚本を読む限り、それがないような気がする。単純にヒーローになっちゃっている。そこを危惧しているんだ。

長谷川　それは恐らく映像になってみないとわからないのじゃないかなと思う。主人公の誠という男が原爆を作ってしまう。それは感情的に作ってしまうんだ。俺は、感情で行動している奴には興味があるんだ。そこで何かできてくるという気がする。

沢木　確かに、そこは映像を作っていくことで解決される問題なのかもしれないけど、伏線としていくつか配置すべきだという感じもするな。

長谷川　しかし、まぁ率直な感想を言えば、沢木の書いたものを読むと、うまいんだよ。じつにうまい。ハラが立つくらいにうまいんだ。

沢木　さっきの「ルール」の話になるけど、あのルールをいつまでも粋《いき》がって保持することもないと思っているわけですよね。年もとったし、長谷川さんが言うように、僕の中にもまた次のステップを踏み出そうかという思いがある。

長谷川　読みたいね、それを。ネガティブな奴をやると面白いんじゃないか。

沢木　川本三郎さんにも言われたことがあるんだな。笑い飛ばせるような奴をなぜ書かないんだと。わかるんだ、そう言われるとね。そう言わせないもの書きたいね。一年間待ってくれとしかいいようがないけれど(笑)。

長谷川　それは恐らく、沢木がもう少し恥ずかしい思いをすることじゃないかと思う。それは沢木の美学からは外れるのかもしれないが、そんな気がするな。外れてみろよ。

沢木　うん。それと、フィクションとノンフィクションの違いってものが、文字を書く上で一つあるんだね。文章の目線が違うんだ。フィクションの場合、一行の文章の中に書き手の目線の揺れが微妙にある。それが必要なんだな。ところが、ノンフィクションの場合、それがまったく必要ない。

一行の中で目線を移動させなくていい。この違いは大きいような気がするんだ。だから、まったく違う作業になると思う。その違う作業をしていくことは、かなり勇気のいることでもあるんですよ。

長谷川　それだけに期待したいわけだよ、読者としては。俺はまたしばらく映画の現場に戻るし、沢木もまた次の作品に向かっていくんだと思う。お互い、次の何かができたところで、また話したいと思うね。

沢木　そう。『太陽を盗んだ男』に関しては、「予定稿」をまず読ませてもらったわけで、それがどういう形で映像化されるのか、期待しつつ、待ちたいと思う。

貧しくても豊かな季節

武田鉄矢
沢木耕太郎

たけだ　てつや　一九四九年、福岡県生まれ。シンガー・ソングライター、俳優。

武田さんは、この対談の中でも、坂本龍馬への「偏愛」と呼べなくもない愛情と憧憬を熱く語っているが、それ以後も、坂本龍馬への思いはますます濃く深いものになっているようだ。映画で坂本龍馬を演じたり、少年龍馬が主人公の漫画の原作を書いたりしているからというだけではない。

私には二十年近くエッセイの連載をしている雑誌がある。そこに、武田さんもエッセイの連載をしていた。タイトルは「鉄矢の幕末偉人伝」というもので、坂本龍馬と同時代を生きた幕末維新の人々を描いて、すぐれた読み物になっていた。たぶん、龍馬への思いが、彼と同時代を生きた人への敬意となり、それが彼らを理解するときの洞察力を生み出すエネルギー源になっていたのだろう。

ここまで来たら、坂本龍馬だけでなく、幕末の偉人をすべてひとりで演じ切ってもいいのではないかと思ったりする。なにしろ最近はあの水戸黄門を演じているくらいなのだ。武田さんに、もう怖いものはないはずだ。

この対談が掲載されたのは、毎日新聞社から発行されていた「教育の森」という教育雑誌である。対談の途中に、いささか唐突という感じで、「教育」という言葉が出てくるのはそれが理由である。掲載されたのは一九七九年の十一月号だった。

（沢木）

力づけられた「本」

武田　沢木さんの本を繰り返し繰り返し読んでるもんですから、初めてお会いしたという気があんまりしない(笑)。

沢木　僕も実はいま並木座から帰ってきたところです。並木座で『幸福の黄色いハンカチ』を上映してるんです。いま飯田橋の佳作座と両方でやってるんですよね。実をいうと僕は一回見てるんですけど、もう一回見てみようと思って、かかってるところをぜんぶ調べたんです。もし北海道とか九州だったら逆に面白いから、そこまで見に行こうかと思ってたわけ。そうしたら残念なことに(笑)、とても近い東京の並木座と佳作座でやっていた。それでいま並木座で見てきて、やっぱり面白いと思って帰ってきたというわけなんです。

武田　僕は本が好きで、いつも本屋へ行ってブラブラするんです。八カ月か九カ月前ですか、大河ドラマをやってる最中に渋谷の本屋へ行って、なにげなく、『敗れざる者たち』というのを読んだんです。そのときのことは心理状態まで非常によく覚えてるんですがね。

最初、どうしても勝てないボクサーの物語だったんですけど、読み進むうちに、なんか凄く興味を引かれた。そして、章でいいますと、例の「さらば 宝石」のところで号泣しましてね(笑)。号泣というのはオーバーですけど、涙が出てきた。それから「三人の三塁手」、そしていちばん最後の「ドランカー〈酔いどれ〉」、あれですんごい力づけられましてね。

変な商売なんですよね、僕たちの商売は。形がまったく残らない商売をやっていまして、周りの人が面白い、面白いって言うから、そうだろう、面白いだろうって言って毎日過ごしているんですけど、――夜中にふと我に返りますと、すごい恐ろしくなってくるんですよ、手応えのない仕事ですからね。

十五日ぐらい前ですけど、ものすごく気が滅入ってきましてね。ふだんが愉快な男だから、ときどき「オンス」というのがあるんですが、このときはもう、滅入って滅入ってしようがないんですよ。それで、女房に死ぬことをずうっと綿々と話しだしまして、いつまでも長生きしたくない、四十前後で死んでいきたいと。そうすると、女というのは図太いですから、ケロッとして、「じゃ、子どもの成長は見たくないの」と言う。それは、子どもが働く父の姿を見て、記憶の中にとどめてくれていればいいんであって、老いさらばえてまでして……。

沢木 長生きはしなくていいと。

武田 ええ。結婚式場で泣くなんていうのはだめだと、そんなの男の生き方じゃない、そこまで長生きしちゃいけないと。そうしたら女房はケラケラーッと笑って、「結局はあんた、ロマンチストなのよ」と言うわけです(笑)。

沢木 僕は、自分の書いたものというのはほとんど読み返すこともないんだけど、その「ドランカー」という作品は、試合のシーンのほんの一ページぐらいの文章をいままで過去三回ぐらい読み返したことがあって、僕もちょっと励まされたりすることがあるんですよ、自分で(笑)。

ノンフィクションというのは、自分がつくったものでは絶対なくて――もちろん自分がつくったものだと思いたいけれど、でも自分がつくったものじゃなくて、やっぱり何かの姿とか、何かの状態を僕がパーンと受けとめてそれを描き出していく。そうすると、やっぱり一種の共同作業なんですよね。僕なんかの仕事も、むなしいといえばむなしい部分もあって、自分ひとりで密室でやっていれば、たとえば小説なら小説のようにやれるんだけれど、ノンフィクションはやはり相手を必要として、そのことがずいぶんむなしい感じがする、ときどき。相手がいなきゃ成立しないのかという問題なんですけどね。それで僕もたまに落ち込んだりすることがあるんだけど、その輪島の「ドランカー」なんかを読み返してみると、自分が書いた文章とは思えないような、励ましの力みたいのを受け取ることがあるんですね。

ジーンと胸にくるもの

武田 二十一のころ、大学生でブラブラしているときに、五木寛之の『風に吹かれて』を読みまして、僕はとてつもなく東京に憧れて、あんなエッセイを書きたいなあと思った。それで、家出のときに、その『風に吹かれて』をポケットにしのばせて……、いや、そうやることが僕自身にとっての一つの絵になりますからね(笑)。

沢木 我ながら、絵になると思ったわけね、そのとき。うん、感じはわかる(笑)。

武田 五木寛之の本に出合ったときくらいの衝動が、あの『敗れざる者たち』のなかにあったんですよ。それから出ている沢木さんの本をぜんぶ読みましてね。最初のころは置いてなかったんです。だいぶ本屋を転々としたんです。

沢木 そうですか、やっぱり(笑)。なかったでしょうね。

武田 それで懇々《こんこん》と本屋の親父に説教したことがあったんですよ。

沢木　本屋の親父さんもとんだとばっちりでしたね（笑）。

武田　でも、大宅賞をとったあたりからきれいにならぶようになりましてね。『テロルの決算』が大宅賞になったと新聞で見たときに本当にうれしかったですね。あれもいい作品でしたね。

沢木　その『テロルの決算』を書いた後に、何人かの人にその印象を告げられましてね。そのとき僕にとっていちばん意外だったのは、四十五ぐらいの方で、あそこのなかに登場してくる加藤勘十さんの息子さんで加藤宣幸さんという方がいるんですけど、その加藤さんには、実はちょうど山口二矢と同じぐらいの年頃の息子がいるというわけ。自分の息子についてよくわからないところがあって、偶然『テロルの決算』を「親父の物語」として読んだという。要するに、主人公は浅沼稲次郎でも山口二矢でもなくて、山口二矢の親父じゃないかという形で加藤さんは読んでいったというんですね。確かに僕は山口二矢の親父さんとかなり親しく付き合うことになりましたけど、それによってその親父さんの思いみたいのを、僕なんか意識しないうちに受け止め、作品に滲み出ていたらしい。それは加藤宣幸さんに言われて気がついたけど、とてもショックというか、驚きでしたね。

武田　僕は『テロルの決算』のなかでも、あの親父さんというのは、なんか切なく読みましたね。僕は本を読んでて、自分のなかにすごい敏感な部分がありましてね、一人の本好きの男として。いちばん自分でジーンとくるのは、貧乏で金がない生活のありさまが匂ってくるような文章が好きなんです。変に心寒い……（笑）。たぶん、実感として、「寒さ」として伝わってくるんですね、金がないとか、仕事がないとか、暮らしが揺れている、みたいなことは。

沢木　僕の親父もおふくろもほんとにもう極端な貧乏を経験していて、そのなかで育ったから、金のないということが子ども時代のいっときは常の状態だったんだけれど、齢を取ってくると貧乏というのがあまり苦でも何でもなくなる瞬間みたいなものがありますよね。それが、たとえば武田さんが自分の身体的な特徴のことやなんかをわりとおどけてしゃべったりするときに、ある瞬間から、劇的にそういうのを逆転して使える場合があるでしょう。武田さんの貧乏だったみたいな状況はよくわからないから、体なら体のこと、あるいは自分の風体のこととかを、ある瞬間から、負のカードがプラスになるみたいなときがあったように思えるんですけど、それはどういうふうな発見の経過があるわけですか？

武田　俺、おんなじことを写真家の加納典明さんから言われたんですよね、「おまえを見てると、そういうのをすごい感じる」と。陰鬱《いんうつ》の鬱の部分というのは、非常に劣等感が強くて、喧嘩に勝ちたいとかがあって、空手とか柔道とかをやっていた。まあ、九州ですから、血の気の多いやつらがいっぱいいて、そういうのをひたすら練習していたんです。自分でもよく覚えてないんですけど、負のカードがプラスのように意識が逆転したのは高校生のころだろうと思います。そのころ、仲間が四人ぐらいいましてね。学力は中の下で、進学高校で中の下ぐらいの成績では及びのつかないような大学を平気で志望校として書く。いちばん好きだったのは、志望校を「東大」と平気で書くやつがいるんです。先生が怒って、「まじめに書かんか」と。

沢木　冗談はやめろ、と。

武田　ええ。三流の大学でも危ないのにというようなことを言う。で、そのなかで「早稲田」って書いたやつがいましてね。それは英語の平均点が他の学科よりも四点か五点いいだけで、「早稲田に行きます」と言い切るやつなんです。先生がこの男を呼びつけ「じゃ、おまえ、早稲田の学部はどうする。おまえは早稲田でどの学部も絶対通るところはないけれども、聞いてやろう」と言ったら、この男は、「僕は学部は野球部にします」と言ったんです(笑)。そうしたら、両びんた張られまして、すごく顔をはらして帰ってきたんですけど、それが博多弁で、「ゆうちゃった、ゆうちゃった」って言うんですよね(笑)。先生の前で、言い切ってやったと。そのときに、「武田、おまえはどげんするや」って言いますから、「俺はもうぼんくらやから、その辺の私立に行こうかなあと思っとる」と言ったら、そいつがやたら私に怒りまして、「学校の先生が決めたことしか、おまえ、しきらんとか。志望校なんていっぱい書きゃよかやないか」って言うんです。そいつが僕にあだ名をつけたんですよ、「化け物」って。そいつらから、そう呼ばれているうちに……。

沢木　それは平気になっていくのかな。

武田　ええ、平気になっていくんですよね。いわゆる旧制高校生みたいなところがあって。なんてことないんですけど、インキンの薬を六人ぐらいのグループで使い回ししたり、そういうことを平気でやって、いわゆるいちばん姿の悪い九州男児なんですけどね。ただ、そいつが、「夢は自分で編む」と言い切ったのを、すっごくよく記憶していますね。

沢木　「ゆうちゃった、ゆうちゃった」というやつにしては、すごくカッコいい台詞《せりふ》ですね(笑)。でも、確かに夢は他人に編んでもらうもんじゃないですからね。

竜馬が夢枕に二回も

武田　その前後に、司馬遼太郎の『竜馬がゆく』を読んだんです。これはもう、ちょっと頭がおかしくなるくらい好きになりましてね。それまで、本なんか読んだことなかったんです。その全五巻を読んだときに、竜馬のスタートがあまりにもそのときの自分には近しかったんですよね。

沢木　似てると思ったんですね。

武田　ええ。つまり、風体もすぐれぬ坂本竜馬という田舎の青年がいて、彼には金も何もないけど、あり余るほどの夢があり、彼は……。

沢木　ちょっと馬力があってね。

武田　ええ、ええ。それで、自分の運命をつかんでいった、みたいなのが、その名もなく、金もなく、夢だけがあったというところがピタッと自分にはまるような気がしまして、おらも、じゃあ、もしかしたらというので……。それで、夢枕に二回ぐらい立ちましてね。

沢木　出てきましたか、彼は。

武田　ええ。まあ、顔かたちははっきり見なかったんです。それは実に些細なことだったと思うんですけども、いわゆる、劣等のなかで自分はセレクトされたんだという思いがどっからか轟然《ごうぜん》と湧いてきたんですよね。

沢木　それは大変強力な支えになりましたね。ところで大学に入って、いわゆる勉強っていうのをしました？　わりと一生懸命、本を読んだり何かしたほうですか。

武田　ええ、大学に入ってからは本を読みましたね。学校の勉強もわりとまじめにやっていましたね。でも、半分ぐらいやっぱり興味なかったんでしょうね。それと、学園紛争ですんごい荒れてたんです。で、休講が多かったですしね。いばったような大学教授さんが、ヘルメットをかぶった男の子が一人入ってくると、スーッと、「自主休講にしまーす」って大声で言いながら、とんずらしたりしていましたからね。だから、権威なんていうものはもう何もなかった。

沢木　結局何をやっていました、日々。

武田　小説を自分で書いたり、それから、すぐ始めたのはフォーク・バンド。それで「海援隊」と名付けて。

沢木　そうすると、その学生時代は、いくつか大きな時間の区切りをつけるとすれば、本を読んでるか、何か書いてるか、フォークをやってるか、それにあとちょっと学校で授業を受けるか、ぐらいですか。

武田　あと、女の子を追い回して泣いてるか、どれかですね(笑)。

沢木　それはちゃんとやってるわけ?

武田　ええ、それはやってましたね。

沢木　じゃ、わりとマメな、充実した学生生活ですよね。

武田　そうですよ(笑)。朝、学校へ行って、かなり遠いんですよね。で、代返を頼んで早退《はやび》けしてきまして、博多駅で降りて、バスに乗っかって、たまり場へ行って、三時間ぐらい人と話したり、歌を歌ったり、作詞をやったり、で、よく事件が起きたんですよね、誰々がふられたとかで荒れ狂ったり。それをとり押さえにいったり、それから逆に今度は自分がふられて乱れたり。

沢木　感じとしては非常に牧歌的な大学生活ですね。それはかなり意外な感じだね。

武田　まあ、東大闘争前後とか、波はかなり東京のほうから来ていましたけど、でも、やっぱり「都より遠し」というのはすごく感じましたよ。『くるくるパーティー』という、いま大学生に受けてる漫画があるんですが、あれのなかに出てくる安下宿共闘みたいでしてね。大学立法反対というデモ行進をやるんです、大学の近くで。ところが、周りはほとんど田んぼなんですよね。

沢木　それに向かってシュプレヒコールをやるわけね。

武田　ええ。そのデモ行進に入ってて、途中でマイクを握りしめて、「もうそろそろ休みましょう!」って大声出したら、委員長から怒られましてね(笑)。

楽しい夢うつつの日々

沢木　いくつかの生きていくプロセスのなかで、曲がり角ではないにしても、ちょっとしたカーブとかターニング・ポイントとか、わりとはっきりある人なんですか。

武田　僕はあります。

沢木　それは、そのときとか、いまならいま考えると、確実にその「点」みたいのが見えます?

武田　ええ。

沢木　そういう「点」の曲がり角に、いつでもどういうものがありますか、具体的なものとして。

武田　よく、夜行列車があるんですよ。これは奇しき運命で、何になろうかとっても迷ってて、大学四年のときに、みんなものすごく急いで就職の勉強を始めるんですよね。僕はそのときに、なんで人が勉強するのかわからなかったんです。図書館に行くって友達が言うから、どうしてって聞くと、就職の勉強だと言うんですよね。それはとんでもないことで、四年間ちゃんと勉強したじゃないかと、就職ぐらいすぐできないと、やってられないというのがあったんです。それで、みんなどんどん決めていくんです、自分の就職先を。神奈川とか函館とか、平気で言うんです。それが僕は具体的に全然わからなかった。で、ある日のこと、フォークのグループをずっとやっていまして、たまたま気まぐれだったらしいんですけど、地元のラジオ局のディレクターさんが、「君は、面白いもんを持ってるね、もしかしたらしゃべりの天才かもしれない」って言ったんです。そうしたらもう、ハートのなかに鐘が鳴り響くわけですよね、志士、東へ上ろう、おまえは竜馬だ、というのが。バカですけどね(笑)。

沢木 ハッハッハッ。必ずちょっと竜馬は出てくるわけね、鐘とともに。

武田 ええ、ええ。それで、他の二人の仲間としめし合わせて、十月十六日で教育実習が終わり、これさえ終わっておけば、あとは卒論だけなので、大丈夫だと。で、おっかさんにはそんなこと言わずに、十七日に出発したんですよ、夜行列車で。

沢木 なるほど、そこで夜行列車が出てくるわけだ。

武田 それで、夜行列車に乗っかったところまではよかったんですけど、門司を過ぎて下関に入ると心細くなりましてね。そのときに、自分は九州で生まれた人間なんだなあという思いが、バカながらも感じましてね、下関の灯と門司の灯は違うというのが。

沢木 で、確実にもう異国というか、異郷に行くという感じで東に上っていったわけですね。

武田 ええ。で東京に来て、ふとんも何もなかった。でも、僕、やたら張り切っていましたね。楽しくて楽しくて。

沢木 よく、過去を振り返って、「あのころはよかったなあ」みたいな言い方をすることがあったりしますけど、武田さんの場合には、もしそれがあるとするといつごろになりますか。

武田 やっぱり、上京してすぐの半年ぐらいでしょうね。あれはもう夢うつつの日々でして。月のうち、仕事が四本なかったですよね。給料が三万円だった。

沢木　いちおうどこかに所属したわけですね。
武田　ええ。でも、家賃が一万五千円で、あとの一万五千円でどうやって食っていったかは、いまでも謎なんですけどもね。ただ、パチンコという遊びが単なる遊戯ではなかった時期があったのを覚えているんです。五百円ぜんぶ取られてしまうと、茫然《ぼうぜん》とパチンコ屋の前で、「返してください」と言いたくなる衝動を懸命にこらえてたたずんでいたというのがあるんです。でも、新宿をうろうろしながら、結構楽しかったような気がするんですよね。

二、三個欠けていたほうがよい

沢木　いまは比較的金があるでしょう。
武田　ええ。
沢木　そうすると、金のあるということは、やっぱり基本的にはいいことだと思うんだけど、心の底からいいことだという感じが、いま、していますか？
武田　ある以上のことは満たせないということだけは、はっきりわかります。でも、それはもう強がりでも何でもなく、あればあるほどいいとは思いませんけども、あればいいもんですよね。人にやさしく扱ってもらえますからね。
沢木　ただ、ある時期、金なら金がない時期、なんだかとても面白がって生きていけたときがあるじゃないですか。
武田　ありますよね。でも、それは肉体的な意味でも、きっと、徹夜がこたえない時期と重なってるんでしょうね。

沢木　そうかもしれない。そもそも、いまこの対談をさせてもらっている雑誌の編集長は、僕が『若き実力者たち』をはじめて連載させてもらったときの雑誌の編集者なんですよね。ちょうどあのころは、原稿料なんかも新人のせいか安くてね(笑)。とにかく、一人の人物を一カ月でかなり一生懸命取材をして、取材費やなんかぜんぶ込みで、七万円だったわけ。七万円といったら、取材費で飛ぶわけですよ。そうすると、手元に残ったのはほぼ一万円か二万円ぐらい。足が出ていたときもあって、その不足の金をどうしていたのか、もうわからないわけですね、僕も。そのときアパートを借りていて、金を払えなくなると、いちばん最初に電気をとめられます。アパートの電気のメーターって、外にずらりと並んでいることがあるじゃないですか。そうすると、僕の部屋だけとめられると、必ずそこに紙が貼られるでしょう。で、お金が入って、東京電力の支社に払いに行くと、その札を取ってくれて、またメーターが回転しはじめる。次にガスがとめられる。その次に水道がとめられると思うと、これが水道だけはとめないんですよね、六カ月ぐらいは。水というのは生死に関わるものだからかもしれませんけどね。で、まあかろうじて、電気とガスをとめられて書いていたのが『若き実力者たち』の時代だったわけ。一カ月に一本なんていうペースの仕事は、もうそれ以来絶対にやってないんですよ。でも、まさに一カ月で一本の仕事ができたっていう時代じゃなきゃ、そういう生活を面白がったりはしていなかったでしょうね。そうすると、欠けてるものを面白がるというのは、やっぱりこっちにエネルギーがないとだめなのかもしれませんね。

武田　ええ、ええ。

沢木　確かにいま、僕も金はあったほうがいいなあと思ってるわけ。金がないと、俺のエネルギーでカバーできるかなあっていう感じがあって、カバーできるという自信は、いまはもうなくなっちゃってるわけです。ただ、基本的には、エネルギーがある時代って誰でもあるわけだから、そのときにはなんか二、三個欠けてたほうがいいんじゃないかと思う。

それは貧乏じゃなくてもいいし、なんか一個くらい基本的に欠けたものを持った時代を経験しないと、やさしくなれないじゃないですか、相手に、人に。もし、たとえば僕なんかが、要するに金にほんとに苦労しないで、わりと三十年生きてきちゃったら、あんまり苦労することなく、勉強も普通ぐらいにできたし、スポーツをやらせれば普通にできたし、人との応対も普通にできたから、とてもいやな野郎になったんじゃないかという気はとてもするわけ。ただ僕はもうとてつもなく金がない時代が長かったから、それで、なんか一個得したという感じはとてもありますけどね。

ボッコボコの斜面部屋

武田　僕も東京に出てきて食えはじめたのは、二年後ぐらいからですねえ。ただ、なんか知んないけど、そんなにつらくなかったんですよね。つらかったのは、東京に出てきたときにカーテンが部屋になかったもんですから、朝、目を覚ますと、まぶしい、まぶしい。日の出とともに目をあけないと……。東京に出てきたのが十月の中旬ぐらいでしたから、まだ日差しが強かったんですよ。もう、それがまぶしくてね。それと、いまでも笑い話なんですけど、初めて借りたアパートが傾いてるんですよ。二時間か三時間ぐらいいると、ちょっと気分が悪くなってくる。人間、ちゃんと平衡《へいこう》感覚をもっていますから。それが(体を斜めにして……)ずうっとこうやって狂ってるわけです。

沢木　なるほど、それはすごい(笑)。

武田　二階の家で三時間ぐらい座ってて、表に出ますと、表はちゃんとした道なんでしょうけど、ずうっと傾いた家にいて、玄関からポッと表に出ると、クラーッとくるわけね(笑)。それで、他の二人と工夫しましてね。面白かったですよ、まさしく「東京ジャングル」でしたけど。ビールびんの箱とか、雑誌をいっぱいもらってきまして、畳をめくって、平衡になるように、それを敷くわけです。そして、たばこを転がしながら調査、調整するわけですよね(笑)。

沢木　なるほど、それはリアリティがある。たばこが転がんなきゃいいわけだものね。

武田　そうです。それがすごいんです。たばこを置くと、スゥーッと転がるんですよ(笑)、ほんとに出口まで。ところが、しょせん応急処置ですよね、そのうち、ボッコボコになってくるんです。この畳に座るとこう傾くし、違うところに行くとこう傾くしね。それで、おかしかったなあ。友達三人招いて、コタツを真ん中に置きまして、座ると、こっちのほうに雑誌があって、それを貸すんです。そうすると、後ろにひっくり返りそうなやつは尻の後ろに当てまして前のめりになるように、横に座ってるやつは片方の尻に敷くんですよね。

沢木　ハッハッハッ。確かに漫画みたいな話ですね、それは。

武田　だけど、まあ、元気よかったんだなあ。いま考えてみると、ほんとに映画になりそうですけど、何の抵抗もなく、スッと入ってきたら、「はい、はい、はい」って雑誌を渡すんですよ(笑)。で、みんなもピタッと敷いて、「それで今度の歌は……」ってミーティングに入るんです。

沢木　じゃ、それは夢のように、幻のように一年半か二年ぐらいは過ぎていって……。

武田　ええ。電灯の笠がなかったのと、カーテンがなかったのがつらくて。それで、ミドリガメとか、サワガニとか、そんなものを買ってきたり、料理屋さんからサワガニをもらってきたりして、それを、拾った金魚鉢のなかに入れたりしましてね。なんか知んないけど、奇妙な、漂流者みたいな感じで。段ボール箱で家具をつくったし……すごい器用なんです。

沢木 紙なんかを張ったりして。

武田 「魔法の小箱」と呼びまして、洗たく物をどんどん入れていくんです。で、いっぱいになったら、下のほうからまたもう一回引っ張り出して、はくんですよ。「きれいになった、きれいになった」って暗示をかけながら(笑)。

意味のあるバカバカしいこと

沢木 活字と映像と音楽のなかで、いちばん強く影響されたのはなんですか。活字ですか?

武田 僕、活字なんですよね。

沢木 やっぱり活字の人なんですか。僕は日活のロマンポルノはあまり見たことないからわからないけれども、かつてのピンク映画みたいな映画だったり、まあ、普通の映画でもいいんですけど、そんなのをよく見ていたという時期はありましたか。

武田 ありました。大学の二年くらいですね。ニュー・シネマとぶつかりました。『卒業』からはじまって『真夜中のカーボーイ』とか『俺たちに明日はない』とか、そのへんの映画はほとんど見にいっていました。

沢木 僕は、あるとき突然バカバカしいことをやろうと思って、一週間で何本ピンク映画を見られるかと思い立って、それを一つの仕事にしちゃおうと思ったことがありました。八日間で四十五本かな、違うピンク映画を探すのが大変だったけど、それをみんな見て、セックスシーンの統計なんかとって、一種の考現学をやろうと思ったわけ。まず一本の時間が七十分、そして三分の一にセックスシーンが挿入される、二十二、三分。みんな小さな映画会社がつくっていますでしょう、大蔵映画だけでなく。で、その実際の映画づくりの現場を見せてもらうと、非常にわびしい撮影風景なんですね。四十くらいのピンク映画の主演級俳優さんが、時々、ちょっと、女房と一緒に寝ていると、突然、カメラの位置、これでいいんだろうかと思うって(笑)。冗談だろうと思ったけれども、わりに真剣に言っていましたからね。

そういうようなことを丹念にバカバカしくやっていた時期がちょうど『若き実力者たち』と重なっていたんですけど、あるときから、突然、そういうバカバカしいことをやらなくなっちゃったわけ。バカバカしいことをやっていた時代のことをちょっといま整理しはじめて、文章やなんかでも見直しはじめると、とてつもなくバカバカしいことをやっていた時代の生き生きとした感じみたいのが、いま完璧になくなっているというので、ちょっとしたショックを受けています。だって、ピンク映画を一週間に四十何本見て、そのレポート書いたって、なんの意味もないわけですよ、本当は。たとえばいま僕がなにかやろうとしているのは、意味がありそうに一見見えるけれども、逆にぜんぜんないんじゃないかと思う。そっちのほうが意味があるみたいな気がする。武田さんの場合でも、きっと仕事が整理されてきますよね。道筋がきれいになってくるし、そういうバカバカしいことが必然的にできなくなって、その先どうなっていくんだろうかとお思いになりませんか。それはそれなりに見えますか、自分の姿が。

武田　いや、見えないですね。具体的に、ＬＰ盤、大きいレコード盤をつくるんですけれども、つくるごとに、もうおしまいだ、もうおしまいだとどこかでつぶやきはあるんです。言葉を組み合わせていくんです。あまりよくないんですけれども、言葉をなんかいじくりながら一晩すごしてしまうこともある。それは本当にバカみたいなことで「あなたはいったわ」がいいか、「あなたはいったね」がいいか、メロディーのため、どっちが強いかなとか。ケツの終わる母音の「アー」でコーラス入れて、ここはどうしても「したいなあ」にしなければというようなことで考えるんですよね。

沢木　そうかあ……。たとえば、いま三十ぐらいになってしまって、いろんなものがあって、いまの位置、上下でなく距離としてのいまの位置にあるわけだけれども、なにかがかなり決定的なものになってきてしまったという中で、なにか思うことがありますか？

武田　どうしても否定できないことは、旅が好きなことなんです。抽象的ですが、夜汽車からはじまった暮らしなんですが、女房、子どもに悪いんですけれども、夜行列車のなかがいちばん深く眠れるような気がしまして。そんなこと聞いたら女房はカチーンとくるかもしれませんが。それで、バカみたいなんですけれども、住居を買うことにもすごい抵抗があったんです。里から出てきて、里にしか家がないんだから、こんなところに家買っても仕方ないし、やっぱり地方出身者なんでしょうね。土地に関してすごい敏感でして、マンションみたいに空間を買うということに納得できないんですよ。地震でつぶれた場合、ナス畑をつくらなければとか。

沢木　いいですね、ナス畑(笑)。

武田　それで、いまのヨメさんから、コンコンと説教されまして。つまり、このまま借家に住んでいてこうやっておさめていくと、年間これこれ……。

沢木　これが十年続くとこうなると。

武田　ええ、十年か十五年住んで、あなたがダメになったとして里に帰るにしても、この土地をマンションごと買っておけばいくらいくらくらいは値上がりするからというようなことで、ハッと気がついたら、いつの間にか印鑑押しているんですね（笑）。帰る家は博多にしかないという思いがあるんですけどね。

影がとてつもなく大きい人

沢木　武田さんにとって、先生とか、師というような人を持つことはありましたか？

武田　それはなかったですね。私もルポライターという職業に憧れていまして、観察したり、その人の過去を、自分の視点から他人に伝えるというのは、とっても好きなんです。たとえていうなら、芥川龍之介の『手巾《ハンケチ》』みたいな感じが好きなんです。語りたくても語れない思いを、ちがう視点から語ってゆくのです。

沢木　たとえば歌うでしょう、芝居やるでしょう、それに映画、それについて自分にとっての具体的な先生というのを持たないできたわけですね。

武田　そうなんです。人の真似ばっかりするんですよ。これは笑い話で、ＮＨＫの大河ドラマの『草燃える』で、マイクの方に言われたんですけれども、石坂浩二さんと同じような喋り方をするらしいんですよね、私が。石坂さんが笑いながら、「お前は得だ」としみじみ言われたんですよ。ほかの人がやったらすぐバレて、笑われるんだって。お前は、俺の真似をしても誰も笑わない。

沢木　僕は仕事を始めたときにプロフェッショナルとして出発しちゃった。それは偶然なんですけど、職業上の先生みたいのを、ついに持たなかった。二十二、三歳のころだったら、先生なんてなんだいと思ってその人のいうことも絶対に聞かずに、好き勝手なことやったろうと思うけれども、いまになると、大きな存在として、先生という形でなくてもいいから、それに近い存在がいたらどうだったろうと思うことがありますね。

武田　そういう意味合いでは、山田洋次という人はすばらしい先生かもしれませんね。影がとてつもなく大きいという感じがします。語り口、彼のものを見る目、ときどきまぶしくて、びっくりするときがあるんです。

沢木　だけど、今日も見ていて思ったんだけど、『幸福の黄色いハンカチ』というのは、本当に日本映画ばなれしていますね。

武田　評論家はぜんぜんそういうことを指摘なさいませんけれども、洋画なんですよね。

沢木　話のつくり方、最後の扱い方、外国映画を見ているみたいな気がしました。それと、最初見たときはぜんぜん気がつかなかったんだけれども、高倉健の手がアップされると、手の甲にシミがあるんです。高倉健というといつでも僕たちより三つか四つぐらいしか上じゃないと思っていたのが、あの映画を見ると、手にシミがある年代なんだということがわかる。にもかかわらず、あの体を維持していたというのは、ちょっと胸をつかれたな。

武田　健さんの話になるけれども、さっきの大きな影という意味合いで、高倉健も巨大な人ですね。ものすごいなと思うのは、映画一本仕事を引き受けると、その一カ月前からトレーニングに入るんです、体を締め直すために。役柄に応じて体重を調節するんです。あの『幸福の黄色いハンカチ』

でも、刑務所から出たばかりの高倉さんが、食堂に行きますよね。あの撮影をやる前に、あの方は夕食と朝食、二回抜かれているんですよ。もしかしたらその前から抜いていらしたかもしれない。空腹感というのは、目の前に出されたとき、箸を握ってものを食い出すまでに、勢いがあります。腹に本当にあるのとないのでは違いますから。それを知って足がすくんできましてね、こわくて。なんつうことをやるんだろうと思いまして。健さんはとってもお金もあるし、いいもの食っていると思うわけですよ。そして余裕でトレーニングやって体を鍛えていると思うと、そうじゃなくて、どこか命がけのところがあるんですね、そんな短い一コマにも。それを山田洋次さんはビーンとわかるわけです。ここは一発撮りでいくからというと、それに順応する山田組がいて、助監督連が緊張し、ライティングも全部緊張して、ヨーイ、カチンと回り出すと、溜めに溜めた体が要求する空腹感で、健さんは、かつ丼とビールにすがりついていく。そして、OK、カンカーンと鳴るわけです。そして監督は、「いや、すばらしいシーンでした」と。あの方の習慣ですけれども、どんな駆け出しの俳優さんが来ても、どんな脇役の人が来ても、一度必ず気をつけして「高倉です。よろしく」と言われる。

沢木　そういう影と出合うとどうなるんだろう。僕は単純ですごく素直な人間だから、すごいなといって、逆にそう強く影響されないで通過していっちゃうタイプなんですよね。通過していったあとは、その影の影響は比較的薄い人間なんです。

武田　僕はメモっている自分が頭の中にあるんです。この情景は書いておこうというのがあって、あたりの風景なんかもちゃんと覚えておきましてね。そういう自分がもう一人いることがわかるんです。スケッチブックを厚くして、溜めてなににするのか自分でもわからないけれども。それもまた

『風に吹かれて』の影響があるのかもしれませんけれども。

無能と思われたくない

沢木　たとえばすごく単純に言ってしまえば、僕なんか、かなりセンチメンタルな、かなりヒロイックな気分で自分の生き方を決めてしまって、それに対してはあまり後悔しないように生きていこう、自分がカッコいいと思える生き方をすればそれでいいんじゃないかと思っているようなところがある。はた目にはどうであれ、ね。それがいつか破綻するだろうなという感じは強いんだけれども。だから逆にルポライターが僕のことを書くとしたら、非常に書きやすいタイプの人間だと思うわけです。気分だけ抽出して、一個一個のターニング・ポイントで、やつはだからこれを選んだんだ。なぜ大学を出て就職しないでルポライターになったか、やつはいいカッコしたかったから、自分に対して。次にこの仕事をしないでどこかへ行っちゃったとすればなぜか。こういうことだったろうと、わりと解釈がつきやすいように生きてきたわけです。もし僕が武田さんのことを書くんだったら……武田さん、自分では自分をどう判断していますか。

武田　ヒロイックとは全く逆なんですね。嫌われたくないという思いと無能と思われたくないという、そういうものすごく熱い思いがあるんですよ。明日までにすばらしい詞を二、三編書いてこいというと書くんです、懸命に。それは自分の能力を信じてというのでなく、あの人から小声ででも、あいつは無能だと言われたくないんです。陰で、あいつ最近ダレてきたなと言われると、たまらないくらい悲しくなってくるんです。振り返っていつも確認していることは、手を抜かなかったということだけは確認しています。

沢木　僕も無能だと思われたくないのと、人と摩擦するのがいやです。

武田　人と争うということに関しては、すごく敏感でいやなんです。

沢木　できたら、そういう場面は避けたいと。それは、どうしてなんだろう。

武田　親父とおふくろが、比較的金がなくて子どもも多く、そういうことで、よくもめていたんです。つかみ合いの喧嘩から刃物を握ったり、親父は酒を飲むと凶器を握りしめて子どもを追い回すみたいなところがあって、いまの社会面ギリギリの家庭なんですよ。そういうので争う声にすごく敏感でいやなんです。

沢木　僕も人と摩擦を起こしたくないというタイプですから、そういう局面から逃げちゃいます。

武田　よく、親父とおふくろの喧嘩が給料のことではじまると、押し入れのなかに入って布団かぶったんです。布団かぶっても争う声は聞こえるんです。

沢木　自分の親父さんやおふくろさんが子どもであるわれわれに何を教育してくれたかと思うと、何も教育してくれなかったと思うわけ。要するに勉強しろと言われたこともないし、何も言わなかった。ただ、父親は生活能力がないけれども、生活能力がないということを除けば、すごくいい親父だった。本を読んでいるというのが親父の姿として当然あって、それだけが唯一の教育なわけ。それをどういうふうにとろうと自由だったわけ。おふくろは何も言わなかったけれども、僕のことを見ていた。

このあいだ、麻布プリンスホテルに仕事に行って、プールがあったんで泳いだんですね。あそこは有閑マダムが来るのかどうか知らないけれども、三、四歳の子どもを連れたママさんが沢山来ている。外国人も来ている。その子どもたちをプールで遊ばせる方法を見てかなりショックを受けた。日本のお母さんが、水のなかに子どもを入れようとするんだけど、水がこわいらしく、ギャアギャア泣きわめく。そうすると、あなたは外で遊んでいらっしゃいと自分は泳ぐわけ。そのうちにその子どもが、突然「お母様、オシッコ」と言ったら、「こっちに入りなさい」とプールに入れたんです。僕は愕然《がくぜん》とした(笑)。それとは別に、外国人、欧米風の白人の女の子がいて、お母さんはプールサイドで本を読んでる。その子はプールの周りで遊んでいたり、それにあきるとそろそろと水のなかに入ったりするんだけど、泳げない。そのうちにプールの端をつかんで手を離したりしはじめたわけ。それで僕がちょっとお節介をして「こっちへ来てごらん」と二、三メートルくらい先のところに立ってやったら、スルスルと犬かきして近づいてきたわけ。これは面白い、泳げるんじゃないかと思って少しずつ離れていってやっているうちに実に三十分くらいで二十五メートルくらい泳げるようになっちゃった。そのとき印象的だったのは、お母さんは本を読みながら、ときおりジッとこちらを見ていた。そして、お母さんが見ているということをその女の子は確認しているわけ。それを自分にひきつけるのは大げさだけれども、もしおふくろに教育されたとすれば、見ているということは確実にあったと思うわけ。見ていられることが僕にとって最大の教育であった。なにをしちゃいけないとか、なにをしろとか言われたことは、たったの一度もないけれども、親父はただ本を読んでいる後ろ姿を見せているだけで、おふくろはこちらを見ていたということが、僕にとって最大の教育だったという感じがするんです。

ゴミのような人生にも激しさを

武田　うちのおふくろは、夫婦で喧嘩して、子どもは押し入れに入って泣いている、その姿はあわれと思っているらしいんですけれども、生活がのしかかってきていますから、そうええカッコできないわけです。刃物どうのこうのと絶叫していて、こういうのが大人かと思ったんだけれども、「武田さん、たばこください」と客が来ると、パーッと涙ふいて「はい、はい」と出ていくんです。翌日、あれほど殺す殺さないとののしり合っていたのが、近所のおばさんがくると、サービス精神にあふれて、笑い話にしちゃう。

沢木　そういう武田さんの過去の生き方は、否定的ですか、肯定的ですか。

武田　いまは祈るような気持ちで肯定したいなと思っているんですよ。

沢木　もちろん別の生き方がなかったんだから否定してもしようがないけれども、祈るような気持ちで、オーケーということは……。

武田　坂口安吾さんみたいな作家に会うとフラフラになっちまうのは、叩き割るような論理の展開ですよね。エッセイも痛快ですし。「ラムネ氏のこと」というのをご存じですか。

沢木　読んでいません。

武田　私が売れないときはキャバレーまわりをしていましたが、女房が妊娠して、育ててゆく自信がなくて、そんな時、安吾のエッセイを読んでいた。ラムネ氏という謎の人物のことが書いてありまして、ラムネの玉を発明したのはラムネという人である。一生懸命人名辞典調べてもそんな人はいなくて、ラムネの玉を発明したのは誰か。安吾曰く、ラムネの玉一個発明して、コトッと死んじまって、歴史に名前を残さないというのは、粋な死に方じゃねえかというんです。よく考えてみるとそういうもので、原爆なんかつくったやつははっきりしている、しかしあんなのは文化じゃねえ。文化とはなにか、ふぐちりだというんです。文化という大きな流れは、ささやかな食卓の上に花開いている。ふぐなんか食うのは大変だったろう。最初、バカが北九州のほうに住んでいて、食べたことねえけど食ってみようかなと頭から全部食っちゃった。そして死んでいく。死んでいくとき、なにか一言言い残さなければと思って、子孫に「どうも目玉食ったのがよくなかった」と。何代かたってまたバカなやつが出てきて、俺も挑戦してみようと、バカな連中のとうとうたる歴史があって、いつの間にかポン酢につけて食うというふぐの食い方ができた。考えてもごらん、白子を食ったやつは偉いよというのがあるんです。しょせん人間なんてゴミのような人生なんだから、ゴミのような命なんだから、たいしたことねえんだ。どんなに威張っても仕方ねえ。ただ、生き方としてできるのは、ゴミのような人生に火のような激しさを吹き込むかどうか、それだけだと。戯作者で一生終わるのも人生、純文学で一生終わるのも人生、しかし火のような激しさがあるかどうかと。それでがっくりうなずいて、気弱な心に一生懸命吹き込むわけです。

沢木　武田さんが武田さんにね。

武田　ええ。

沢木　いま、火、吹き込んでいますか?

武田　これが本当に疲れやすい体質で、短距離選手がむりやり長距離をやらされているようなもので、芸能界はまさしく椅子取りゲームでして、一個一個減っていく椅子に必ず座っていないと……。

沢木　でも、椅子なんかなくてもぜんぜん自分は平気なんじゃなかろうかというところ、どこかにありません？

武田　下のほうにはあります。奥さんからからかわれた、あなたは信頼できる……俺の才能に関してほめてくれたのかと思ったら、なにやっても食べていける体だからって(笑)。

沢木　僕は熔接ができるわけです。決して僕はものを書くことをやめないだろうけれども、やめるのを余儀なくされたら、熔接の職人をやればいいと思っているようなところがある。少年時代に父の工場で手伝ったりしていたくらいだから、腕はたいしたことはないんだろうけれども、でも根底にはその支えみたいなものがありますね、いざとなれば絶対食えるという。食えるから、いまやっているこの仕事のスタイルは自分の好きなように全く勝手にやらしてもらう。親の教育なんて、根底的に、お前はどうやっても生きられるんだという自信を持たせてやったら、それで全部オーケーだと思うんですよね。

事実の力、言葉の力

立松和平
沢木耕太郎

たてまつ　わへい　一九四七年、栃木県生まれ。作家。

作家でテレビ界に進出して最も成功したのは誰か。成功をどう捉えるかという問題はあるが、それを、多くの人がその作家と出演していた番組とを結びつけて記憶していることとすると、たぶん「11PM」の司会をしていた藤本義一と「ニュースステーション」でレポーターのような役割を果たしていた立松和平が双璧ということになるかもしれない。それらの番組での、藤本さんの切れ味の鋭い語り口の中にわずかに残る関西弁のイントネーションと、立松さんの温かみのあるゆったりとした栃木弁の語り口は、いまでも多くの人が記憶しているのではないかと思う。

しかし、私にとっての立松さんの記憶は、「声」よりも「字」である。

この対談は一九八二年の「早稲田文学」四月号に掲載されたが、立松さんは、それを機に、著作が出るたびに贈ってくださるようになった。そして、そこには見返しに独特の文字で「立松和平」とサインがしてあるのが常だった。それはある意味で稚拙と言えなくもないものであったが、あたかも円空や木喰が彫る仏像のような雅味《がみ》があった。

やがて立松さんは道元や良寛というような宗教者に強い関心を寄せていくようになるが、それもある意味で当然だったのかもしれない。

二〇一〇年、没。

（沢木）

細部を発見する旅

立松　今、沢木さんの仕事がすごく気になっているんです。フィクションとノンフィクションの関係でいえば、現代は事実が進んでいる時代だと思うんです。例えば、新聞の新年特集に出ていたんだけど、老人の置き去りがあるらしい。若い、といっても中年になったくらいの団地住いをしていた夫婦が、家を建てて引越す時に、老人を置いていくんだそうです。しかも置き去りにされた老人達が団地の中に何人もいるのに、表沙汰にはなっていない、民生委員なんか気がつかない。表面的には一家で暮しているようになっているからで、壁の中に閉じ込められているということなんだ。同じ特集記事の中で、妻子置き去りの問題もとりあげていました。子供と女房を団地に置いて、自分はちょっと離れたアパートに住み、日曜祭日だけ帰ってきて、子供をペットのようにかわいがるサラリーマンの話。家族の面倒なところは逃げて、おいしいところだけいただくというんです。さりげない記事かもしれないけれど、そういうような家族の事実がある。十年前まで、もしくは十数年前までは、小説がある部分事実を少しずつ先取りしていたわけです。小島信夫の『抱擁家族』なんかがそうですね。ところが、いつ頃からか現実のほうがはるかに進んでしまっている。突出した現実に対して、小説は対応できなくなってしまった面があるんじゃないかと思うんです。ほとんどそれと呼応する時期に、ニュージャーナリズムというジャンルが起こってきたんですよね。ニュージャーナリズムの作品は読んでとにかく面白い。

沢木　とりあえず面白い、というところはあるかもしれませんよね、とりあえず(笑)。

立松　いや、とにかくだよ（笑）。それも、思わず引き込まれていく、という面白さなんだ。我々の日常を取りまいている事実の前に、我々の小説が、現在もしくは今後対応していけるのかということを考えたいんだ。もしかすると、すごく心細いことになっているんじゃないか。

沢木　その話を展開していく意味でさっきの新聞記事に関連して言うと、昨年の暮の二十何日かにね、東京で同棲していたホステスを殺した男が大阪に逃げて、それから与那国島に渡ってバーテンやっていたという事件が載っていたんですよね。読まなかった？

立松　いや、知らなかったなあ。

沢木　与那国島ということもあるし、立松さんも興味があると思うからちょっと詳しく話すと、その男が殺人をしたのは二年くらい前のことなんだよね。その後すぐ死のうと思ったらしいけれども死にきれずに大阪に行って、ある時ふとたち寄った本屋で地図を見て与那国島というところを発見するんだ。それでそこに渡って、まさにあの砂糖きび刈りなんかをやった後に民謡酒場のバーテンになったらしい。そこで結構信用されてお金なんかも任されるようになった。で、結局は年に何回か警察が指名手配者なんとか月間みたいなことをやるらしいんだけれど、その運動の一環みたいなことで与那国の駐在さんにつかまっちゃったというわけなんだ。

立松　民謡酒場だろ、与那国には一軒しかないはずなんだ、何回も飲みに行ったことあるよ、俺。

沢木　そうだろうと思った。その記事を読んだ時ちょっと驚いたね。立松さんが最近『太陽の王』を書かれて、あの小説は直接犯罪とは結びついていないけれども、基本的なモチーフにおいてその事件と相寄る部分があるような気がして。でもその事件を小説に書いてしまうと、それなりに喚起力はあるけれど、どこか稀薄になってしまうと思うんだよね。そういうストーリーは何度も読んだという気がするじゃない。にもかかわらず、そういう事件があの島で起きたという事実がある。一方立松さんが『太陽の王』の青年……ある団地から出ていって、島を二つ巡った後にさらに南の島に行き、砂糖きび刈りをやり続ける、そういう青年を書いた。もっと話を解きほぐしていかないとわかりにくいかもしれないけれど、とにかくなんらかの事情によって南の島に流れていった二人の青年が虚構と非虚構の世界でクロスした、というふうに考えてちょっとショックを受けたんだ。立松さんがその事件を知ったらどう思うだろうか、という興味もあった。

立松　いや、知らなかったなあ。ちょうどその頃、僕はビルマに行ってたんで新聞読めなかったんだ。『太陽の王』は、まさしく舞台は与那国なんだけれど。沢木さんの『人の砂漠』の中の「視えない共和国」にも出てるように、あの島には無限の包容力があるんだよね。なんでも受け入れてくれるやさしさがあって、吹き流されてくる人間にも、人手不足の島だから居場所がみつかるんだなあ。来歴をたぐられないし、重宝がられて働いているうちにいつのまにか住みついてしまうというところはあるよね。

沢木　そうだろうね。それともう一つ、これはその事件じゃなくてもいいことだけど、ある事件があったとして、それに興味というかショックを受けた時、立松さんだったらどういう対応をするんだろうか、ということなんだ。つまり、その事件を報じている一つの記事なら記事が眼にとまった場合、どういう行動をとるのか。行動までいかなくてもいいんだけど、どういうふうに想像力を向かわせていくのかという……例えば僕だったら、記事に書いてあることはひじょうに表面的で穴だらけの因果物語にすぎないことが多いから、書かれていない事実と事実のあいだを埋めていこうとする作業、つまりノンフィクションを書くという作業になっていくわけなんだよね。そういう形で行動力や想像力を発現していくというスタイルが一つあった時に、立松さんならどうするんだろうと思ったわけなんだ。

立松　なるほどねえ。僕がもしそれをヒントにして書きたくなった場合にはね、その記事のことはもう忘れるね。こちらの想像力の刺激になってくれさえすればいいんだなあ。

沢木　細部はとりあえずどうでもいい、と。

立松　うん、だからね、僕の書き方というのは自分の人生の……まあたいした人生じゃないけれど(笑)、三十数年の蓄積みたいなところからしか出発していないわけなんだ。与那国でそういう人間がみつかったというのはすごく興味あるよね、単純に好奇心としての興味がある。そして、もう一つ考えると自分も同じことをやって生きているんだ。殺してないし与那国へ流れついているわけでもないけれど、やっぱり何かを殺して生きていることにはかわりない。もうこの場所では暮せないと思った瞬間には何かを殺しているわけなんだ、ドラマチックに女を殺すということではないけれども。東京から宇都宮までは百キロしかないけれど、僕が宇都宮の田舎に住んでいるというのは、やっぱり流れながら途中下車していることなんだな。土着しようと願いながら、流れていかざるを得ないんだなあ。どこか知らないけどある場所に行き着く途中経過が長いわけなんだ。だから、彼の人生と僕の人生とはたぶん重なり合うね。彼の生き方のパターンを、僕の人生から紡《つむ》ぎ出していくんだろうなあ。

沢木　でもね、最初に話に出たノンフィクションというジャンルが若干でも読まれるようになったというのがあるとすれば、事実というものの中には、立松さんの言うパターンとしての人生にさえ、びっくりするような細部の意外性が潜んでいることがある、ということが認識されるようになってきたんじゃないかと思うんだ。自分達の想像力で向かっても向かってもついに届かない細部の意外性というのがあると思うんだよね。ノンフィクションのライターが読者にどれだけインパクトのある作品を提供できるかは、彼がその細部に対してどれだけ謙虚になれるかということにかかっているような気がするな。

立松　細部に向かって発見する旅をするんだね。大筋というのは新聞記事で十分だけど、そのディテールの確かさがノンフィクションの作品の良さになってくる。

沢木　うん、ただね、単純にそうとは言えないところもあるんだ。一つの細部がその大筋をひっくりかえしてしまうということもあり得るからね。ノンフィクションにおける細部というのは、フィクションにおけるディテール以上に、作品において絶対的な意味を持っているんだよ。一つの細部が全体の文脈を正反対のものに変えてしまう力がある。だからこそ、その一つの細部に向かって果てしない取材をつづけなくてはならない、とまあ肩肘張った言い方をすればそういうことになる。つまり、細部に対しての「畏れ」から今のニュージャーナリズムが成立したんだという気がするな。細部への畏れを大事にする、という感じなんだ。

立松　うん、なるほどね。細部に対する関わり方は、小説の場合も同じじゃないかなあ。つまり、大状況というのはつまらないわけ。これは事実をベースにして書く時の話だけれど、新聞記事なんかは簡潔な文章だから、肉がないし匂いもない。その女はどういう顔をしているかというと、写真だけだと抽象的で何もわからないんだ。その抽象をどのように具体性までとどかせるかは、とりあえず細部にしかないんだよね。第一段階はそこだよ。フィクションを書く時は、どれだけ細部に対して想像力を働かせるかということであり、細部にこだわることに関してはかわりがないと思う。けれどもそのこだわり方は、自分の人生からこだわって想像するわけで、そういう面からいくと事実に対して謙虚じゃないよね。

沢木　うん、その境い目が大きいと思う。

立松　事実を知ろうとする姿勢と、事実は俺が作るんだという姿勢の違いということかもしれないね。

事実に殉ずるか

沢木　五、六年くらい前に東南アジアから中近東をうろうろしたことがあるんだけど、その最後にイタリアに渡って、長靴のかかとのほうから上に、ローマからフィレンツェというコースで巡ったんだ。でも、イタリアにいてもただブラブラしてやることがないのではつまらないから、何かテーマを一つ決めようと思って、ミケランジェロの作品を見られるだけ見ることにしたんだ。それで、フィレンツェに有名なダビデの像があってそれを見にいった。ダビデの像自体は、それなりに御立派というだけであまり何も感じなかったんだけれど、その前に、捉われの男たちという未完の像が四つくらい並んでいたんだ。未完だから、大理石の塊を削っていって形がちょっとできかけたくらいのものなんだけれど、それだけにミケランジェロの、いわば筆跡のようなものが明瞭に見えるんだよ。それを見て強くショックを受けたんだ。どういうことかというと、ノンフィクションの仕事は、大理石の中に人間の形が埋まっていて、それをノミで彫り出すということだと思えた。人間の形はあらかじめ決まっていて、それに向かって彫っていく。ところがミケランジェロの場合には、自分が一つノミをふるうごとに石の塊に生命を吹き込んでいくことができるんだよね。でも、ノンフィクションのライターの場合には、自分でノミやツチをふるうことによって新たな生命を作っていくことは許されていないわけなんだよ。あらかじめこの中に埋まっているはずの人間に向かって彫っていく。できることは最高にうまくいって「救出」するということなんだ。

立松 つまり事実に向かって、ということなんだろうけれど事実は必ずしも一つではないでしょ。一つじゃない事実に向かっていけばいくほど、近づけば近づくほど、魚眼レンズみたいに歪んでいくこともあるよね。事実に対して謙虚になりたいという気持ちはわかるけれども。

沢木 つまり……いつも書きながら調べながら思っているのは、自分がここの面像をノミで打てば表情が変わるかもしれない、だけど打てない、打ってはならない、ということがあるんですよ。

立松 そういう瞬間はあるわけね、うーん。

沢木 打ってはならない瞬間……僕だけかもしれないけど、そこにノンフィクションを書く人間のほうりと同時に、相当なもの哀しさがあるんだな。

立松 ニュージャーナリズムは、もしかしたら、打つことによって始まったのかもしれないよ。かなりフィクションに近づいているわけだ。例えば、『一瞬の夏』のカシアス内藤にしても、俺、これ読みながら、沢木さんはもしかしたらフィクションのカシアス内藤とつきあっていたんじゃないかなとも思えたんだ。

沢木 ある点ではそうなんだよね、確かに。

立松 そういうことは読めばだんだん最後のほうで明らかになっていくよ。細部を一つ一つ解きほぐしていった時に、沢木さんの抱いていたカシアス内藤に対する幻想が剝《は》がれていって、素顔が出てくるということなんだ。でも、俺は、それもまた、フィクションのカシアス内藤だと思う。外から見れば、永遠にフィクションだという構造があるんじゃないのかな。

沢木　うーん……そこの境い目が、どうしてもわからなくって、その話をぜひ今日したかったんだけれども。

立松　つまり小説家にしてみれば、自分で作ったカシアス内藤像があるとするだろ、それは一度信用するわけ。それを書きながら壊していくよ。千枚なら千枚書いていくうちに、全然関係ないカシアス内藤像ができてくる可能性があるわけ。もし僕がその素材を得て『一瞬の夏』を書くとするよね。実際の体験として沢木さんの役割りをやっていたとしたら、カシアス内藤の名前も使わないで、フィクションの人間を作るよ。プロモーターをやった沢木さんの立場の人間も、フィクション化していく。一人称で書いても三人称で書いても同じことだよ。そうすることによって、素顔のカシアス内藤が事実なのか、あるべき姿の彼というか未来に夢を抱いている彼が事実なのかわからなくなっていく。それでも未来に姿を投げかけていく、そしてその未来の姿をみんなして思いを込めて見ているわけなんだ。でもその未来こそが虚像でしょ。そうすると、一見、事実に即して書いているように見えながら、やっぱり永遠にフィクションにたち向かっているような気がしたわけだ。そのことが『一瞬の夏』で露わになってきた気がしたんだなあ。『テロルの決算』のほうが、事実の前に謙虚であると思う。『人の砂漠』は、これはもう沢木耕太郎という人間の作ったフィクションだよ。

沢木　うん、僕も全くそう思っているんだけれど、もしそこでひとこと言わせてもらえるならば、開高健さんがことあるごとに言っているように、基本的なところで「ノンフィクションはフィクションである」というのは認めているんだよね。しかし、けれどもどこか決定的に違うなと思いながらノンフィクションを書き続けているわけ。逆に考えると、何が違うんだろう、と思いながら書き続けているというところに、僕が今まで書いてこれた淵源があると言えるような気がするんだ。ということは僕の内部には常にフィクションが強く意識としてあったということなのかもしれないんだけれど。何故違うかというと……最終的には事実の断片をピックアップして作られたものは、要するに僕の好きな細部を織り成した一つの物語であって、それをフィクションと呼んで悪いことは全然ないのだけれど。だけどどうでしょうねえ……例えば日本の伝統的な私小説が存在していて、自分の人生なら人生、家族なら家族、女なら女の一部始終を書いた時に、私小説が小説である一点とは、最後のところで彼は何に殉じるかということだと思うんですね。少なくとも事実には殉じないよ。芸術性をそこなったり、小説としての力をそぐようなことがあれば、事実を改変することをいとわない。彼が殉じるのは作品であって事実ではない。きっと彼は作品をより良くするためにはすべてを犠牲にするでしょう。そこに私小説がノンフィクションであり得ない、小説である点があると思う。つまり、何に殉じるかというところに最後の線があると思えるんですね。そう考えた時、僕の書いているフィクションまがいのノンフィクションを小説と言ってもいいかもしれないけれど、最後には事実に殉じよう、たとえ作品がどこまで破綻しても事実を変えることはできない、という気はあるんだな。

立松　姿勢としてはわかるんだ。しかし仕事の結果として……。

沢木　あ、そうか。うーん……。

立松　いや、そう考え込まれると困るんだ(笑)。具体的な話をしよう。俺は去年与那国に二カ月半くらい行ったんですよ。その前にも二回くらい行って砂糖きび畑で働いているんだけれども、驚いたのは、来る若い連中がみんな同じように「視えない共和国」を読んでいるんだ。これは沢木耕太郎が誇っていいことだ。で、「来てみると違うよね」と言うんだ。それはあたりまえのことでしょ。時代も違うしさ、あたりまえのことだ。読者として考えれば、「視えない共和国」に触発されて船に乗ってきたんだからそう考えるのもわからないことはないよ。でも同じ場所に立ってみて、どうしても「視えない共和国」が気になったよ。二十何歳だかの沢木さんの眼にたくさん教えられることがあった。ニュージャーナリズムは事実に殉じていると思うんだ、思うけれども、もっと言いたいところでわだかまってる気持ちも感じるわけ。つまり小説家はそういう意味で言えばさ、「これはフィクションだよ」ということで好きなことを言うわけだよ。でも例えばこの間『太陽の王』を書いたけれども、実は半分ノンフィクションだよ。途中から全くノンフィクション(笑)。

沢木 それは読んでいくうちに感じたね。というのは、突然、立松さんは登場人物に「さん」をつけはじめるんだよね。

立松 あっ、そう、それは気がついてないことだなあ、俺は(笑)。

沢木 与那国に着いた時点から、その島の人である登場人物に「さん」をつけるんだよ。実在性が強いから「さん」をつけなければ呼べなかったんだろう、呼びつけでは書けなかったんだろうと僕は思ったわけ。それ以前の人々は名前だけなんだ。

立松 島の人々を俺は好きだったんだろうね。

沢木 そうだろうね、読んでいて明瞭にわかったね。

立松 『太陽の王』はものすごく批判を受けたんだ。

沢木 どういうふうに? 僕もちょっとわからないところがあって聞こうと思ってるんだけど。

立松 文壇的な批評家に批判を受けたんだ。まず、砂糖きび畑にいってすぐ書いた、発酵しないうちに書いたというわけなんだ。これに対して俺はすごく反論がある。というのはもう十何年、三十回近く沖縄には行っているんだ。俺の処女作は沖縄を素材にして書いたし。

沢木　『途方にくれて』だったね。

立松　うん、そういう蓄積は実はあるんだ。俺が昨年の二月から四月にかけて沖縄に行ったことはエッセイに書いた。それを読んで「立松は二月に行って、四月に帰ってきて、八月に書いた」という言い方をされた(笑)。そういう批判が一番多かった。

沢木　くだらないな(笑)。

立松　くだらんよ。もう一つの批判は、「途中からノンフィクション風になってしまった、たいくつになった」。

沢木　僕は、全く逆の印象だね。前半はつまらなかった。というのは、こういう結構の物語というのは何度も読んだじゃないかと思ったわけ。同じストーリーは書いてないにしても、立松さんが何度も見せてくれたような世界じゃないかという気がした。まずあの主人公は例えば『遠雷』の近くの団地から逃げて行くんだろうしね。ただ途中から何故おもしろくなっていくかというと、一つの行為が終わりに向かって少しずつ進んでいく、その間に主人公がいろいろなものを見て、聞いて、感じていく、そしてそれらのすべてを取り込んで物語が一挙に終結になだれていく、そこが良かった。極端に言うと、前半はよけいだ、もっと言えばどうしてあそこを省略しなかったんだろうと不思議に思ったね。

立松　だからさ、だからそこが小説家との違いなんだよ。つまり、行ったという事実に殉じて書いたとすれば、前半を俺も省略しただろう。砂糖きび畑に行きました、こういうことをやりました、言ってしまえば一つのレポートだよね。だけど俺は最初からフィクションしか念頭になかった。だがその前に圧倒的な事実があるわけ。フィクションの方法がその圧倒的な事実の前に壊れたんだな。破れたんだ。

沢木　僕はこう思うんですよ。細部とストーリーが、例えば『遠雷』ではひじょうにうまく組み合わされていたから物語に力があった。ところが、『太陽の王』では前段があまりにも虚構すぎたため力がそがれたと思うんですね。しかし後段のノンフィクション風なフィクションが全くのノンフィクションで書けるかと言ったら、書けないと思う。フィクションだからああいう世界が保ち得たと思うんだよね。その時に、どうして前段の虚構すぎる世界を書いたのか、主人公が何かを背負ってやってくるのは当然だけど、その何かを書かなければならないのかが疑問だったんだ。これは、一読者としても思ったことなんだけれど。彼の背負っているものを見せないほうが、つまり後段で砂糖きび刈りという行為によって一つ一つ世界が開けていく、世界を知覚していく時に、ほんの少し、ほの見えた方がリアリティーがあると思えた。

立松　ノンフィクションの方法でだったら、島に立った時点から書くと思うけれど。

沢木　いや、それはそうじゃない。ノンフィクションだって書けると思うよ、島に行くまでのことは。むしろ行ってから書けることは知れてるよ。『太陽の王』に書かれている島での世界は、ノンフィクションでは書けないだろうな。

立松　どうして？

沢木　うん……こういう問題があると思うんだな、つまりノンフィクションの世界とは基本的に、僕はそれを打ち破ろうとしているけれども、基本的には挿話《そうわ》、エピソードの世界なんですよ。

立松　はあ、なるほど。

沢木　挿話の世界ではね、あの後段のように極端なほど徹底的に「描写」をすることはできないわけ。描写するためには、しかもその描写される対象に内在する生命のリズムをも写し取りながら描写するためには、挿話から入ったんでは駄目なんですね。ところがノンフィクションのライターは、これまで挿話を収集する訓練しかしてこなかった。描写することは二義的とされてきた。だから、『太陽の王』の後段を少なくとも現在のノンフィクションのライターは絶対に書くことができないんだよ。

記録のこと

立松　俺は『太陽の王』、沢木さんは「視えない共和国」で同じ場所のことを書いているよね。そこで一番違うことは、沢木さんはまずよく動いているよ。俺の場合は一労働者として行って、一日働いて四千五百円もらって、朝から晩まで同じことをして暮していただけだよ。カセットも持って行かなかったし、メモも取らない。労働者としての見聞、向こうから勝手にやってくるものに対しては拒まず、感受性を全開にしていたけれども、こっちから出て行かなかった。あの物語の構想は五、六年前からあったんだ。何故行ったかというと、細部が欲しかったんだね。それだけだよ。

沢木　きっとそうだろうと思った。傲慢な言い方かもしれないけど、小説を書こうとして例えば外国に行って、それで小説が書けるとはとうてい思えない。帰ってきて何年かして、自分の内部にある物語と、その時の経験なりなんなりが結びつき絡みあって、初めて書く準備ができる。そして、もう一度行くなりして、細部に必要な光とか匂いとかを拾うのだろうと思うね。そういうのが小説家の書き方じゃないかな。もうそれは『太陽の王』を読む以前、立松さんが与那国島に行くと聞いた時に、そう思ったね。

立松 ノンフィクションの場合は、違うの？

沢木 違うんだよ、全く。『太陽の王』の構想のされ方で典型的にわかることだけれども、五年か六年たったらもうぜったいにノンフィクションは書けないよ。その時にはフィクションになっているよ。

立松 ああそうか、なるほど。つまらないことを聞くようだけれども、メモをとる？

沢木 いや、メモはとらないけれども、一日の終わった時にノートをとるね。

立松 何時間もかかってするの？

沢木 そう、かなり時間をかけるな。

立松 例えば飛行場の案内板のこととかさ、俺も同じものを見ているわけだよね。俺の場合メモもとらないから書けないよ。また、書く必要もないわけよ。というのは、いろいろな事実がじっとしていてもバラバラに入ってくるわけで、こちら側には俺という感受性の入れ物がある。けれど、入ってきても、三日たって忘れるものは忘れなさい、一年たって忘れるものは忘れなさい、それで何年たっても残っているものがやはり自分にとってひっかかっていることなんだな。それを書くんだよね。

沢木 異国の話をするとよくわかると思うんだけど、今、立松さんは「波」に東南アジアを舞台にした小説を連載しているよね。あれは基本的なモチーフはもうだいぶ前からあって、細部を拾うためにもう一回旅を繰り返している、というのが僕の理解の仕方なんだ。ところが自分のことを考えてみると、五、六年前に一年ほど異国を転々とした経験が一つあるわけです。それはいわゆるノンフィクション、旅行記として書きたい、書かなければいけないなと思っていたんだけれど、早く早くと思っているうちに五、六年たってしまったんですよね。しかし、もしそれをいま書こうとすると、もはやノンフィクションでは表現できないだろうと思うんだ。

立松 だいたい記録が残っていないんだろう。

沢木 いや、それはあるんだ。ノンフィクションを書き始めた頃で、自分自身に出した手紙や人に出したものなど、何百通もあるんだ。原稿用紙にすれば、千枚近くになると思う。

立松 そんなにあるの、すごいなあ。

沢木 だけど、その手紙をいっさい加工しないで提出しないかぎり、それを整理して旅行記にすると、どうしてもフィクションにならざるを得ないような気がするんだ。つまり立松さんが今おっしゃったように、五、六年前にあったことの中で大事なことだけが心に浮かびあがって、それを補強するために細部を拾い集めてくる形になってしまう。これは、フィクションの世界だよね。

立松 もう一つ付け加えさせてもらうならば、言葉というか文体の力ということについての考え方が根本的に違うんじゃないかな。これは自分の場合だけれども、いくつかの基本的なエピソードは用意しておくよ。ところが書き始めていくとどこに着くかわかんない。これは全くもうどうしようもなくわかんないわけ。

沢木 それは僕なんかから見れば不思議だよね。

立松 書いている最中は実生活の中でも小説以外の他の一切を排除しようとするんだ。時間の流れまで排除しようとするから夜昼、ぐちゃぐちゃになっていくんだけれど。もう情報はいらない、体の中にあるよ、皮膚が覚えているよ、と思うんだ。あとはもう自分の紡いでいく言葉の力に身をまかせるわけなんだ。そうすると事実というのはもう邪魔なんだな。そのへんの言葉に対する考え方が、違うんじゃないかな。

沢木　文体の問題でいえば、これはあくまでも僕の場合にはということだけど、必要なのは削いでいく作業だね。過剰なものを排する、どうやって研ぎすましていくかだ。

立松　過剰の中には書き手の思い込みとか思い入れがあるからなの？

沢木　いや、それはいいと思うんだ。その思いが意識されたものであり文章が研ぎすまされたものでありさえすればね。つまり、過剰な思い入れがノンフィクションの中にあってもいい、ただそれ自体をいかに明晰《めいせき》に伝えていくかだね。

立松　文章を書くという時に自分を消す、というのは不可能なんだからね。

沢木　そうだろうね。例えば新聞の記事に書き手が出ていないかというと、もろに出ているじゃない、露骨に。それは書き手に明確に意識されないまま出ている。ノンフィクションは自分を消すべきだとか言われるけど、そんなの僕には関係ないんであって、明晰に、意識しつつ出す。

立松　自分を出すんだということを発見したところからニュージャーナリズムは出発している。

沢木　少なくとも僕に関して言えば全くその通りだったな。僕が無意識的に書いてきたものから、自分というものを意識的に取り出すことがこの十年間の作業だったね。

立松　だから「視えない共和国」は沢木さんじゃなくては書けない作品だと思うんだよね。この中に沢木さんの体臭がよく出てるんだ。結局文章の中では書き手は消えられない、そういうところから出発していると思ったね。歩きまわる自分を書いている。書き手の肉体があるんだよ。

沢木　それが不思議なんだけれどね、僕はある時期まで無意識なんだよね。自分というものが文章の中にあらわれてきてノンフィクションを書いている、そういうことが今までのノンフィクションの中にはあまりないことで、そこが嫌がられたり面白がられたりしていた。それがだんだん自分との関わりあいの中でノンフィクションができているということを意識し始めてから、ダメになったという説もありまして(笑)。そういうきらいもないことはなくて……(笑)。

立松　無意識の良さというのは俺にもあったよ。初期のさ、へたくそだけどさ、二十五歳位までじゃないかな。もっと前かもしれない。

沢木　そう、そう。僕の場合には七〇年から七二、三年にかけて書いたやつがそういう感じのものかもしれない。

立松　じゃあ、お互いに同じじゃないか。同じ年だしね。言葉と書き手の蜜月時代というか。

沢木　うん、あるんだね。二年位じゃないかな。

立松　それを破った時に物を作る人間になるんだよ。やはりその時に方法を意識していかなければ、次が書けないんだよ。二年で完了するわけじゃない。

沢木　今は違うかもしれないね、最初の頃の「幸せな関係」とは。

立松　『人の砂漠』と『一瞬の夏』とはやっぱり違うんだな。もしかしたらだけどさ、『一瞬の夏』を「視えない共和国」の方法で書いたら短編にすぎないんじゃないか。

沢木　全くそうだ！　ぜったいそうだ！(笑)。

立松　それは言ってしまうとさ、プロになったんだよ、ワルになったんだ(笑)。素材が大きいことはわかるけど、昔はそれを惜しげもなくもったいなく使っているわけ。あちこちで体を動かしているのは同じなんだ。でも「視えない共和国」の時にはまさにそれを喜んでいるわけよ。

沢木 喜々としている感じはするね。このごろのように方法論だとかなんとかで抑えつけるということは何も役に立たないんじゃないかなと思いながら、でもそういうことなしに仕事を進めることはできなくなったねえ。

立松 そうでしょう。俺はその中でいかに自分の過剰さを保つかということを常に考えているわけ。

沢木 ただ、過剰なものを流れにまかせて吐き出していくと立松さんはさっきおっしゃったけれども、それを読む側に立ってみるとひとつには快感でもあるけれど同時にもうちょっと制御していってほしいという気がするものでもあるわけですね。制御されたものに対する快感もあるわけなんだから……『太陽の王』を読んだ時に、その過剰さがちょっと制御されていないという感じがしたね。『遠雷』なんかとは違う制御のされ方をしてあるから僕にわからないだけなのかもしれないけれど。

立松 『太陽の王』の場合には、フィクションというストーリーテリングの枠組みを途中で捨てたんだ。島に一人の人間を放す、その時にその人間が単純に生きるように単純に書こうと思った。細部の中でもう一回生き直すことはできるんだ。でも自分の方法をもう一回スローモーションで見て直すということはしてないんだ。わざとしていないんだ。ある意味で言えば、言葉の力というのを良くも悪くも信じているんだね。制御されていないことへの不快感はわかるんだよね。でもその過剰を捨てるということはできないんだ。

沢木 言葉に対する態度は、その過剰さというのをエネルギーとして捉えればひじょうに肯定できるんだけれども、それが無駄になっているところが何カ所かあった。もし僕が立松さんの編集者であるならば、一カ所一カ所つきあわせて検討していきたいぐらいな気持ちになった(笑)。

立松　うーん……それはもちろん謙虚に聞くけれども……(笑)。俺の書き方というのは、無限増殖なんだよね。一つ一つがすっきりまとまってはいないかもしれないけどね、過剰な部分から芽が出ていくというか、瘤《こぶ》みたいなものがどうしてもふくらんでくるんだね。瘤を切り取ってすっきりさせてしまうやり方もあるだろうけど、ぼろ雑巾《ぞうきん》みたいなものまで引き摺るんだ。

沢木　ただね、危ういところはね、過剰さが一つのエネルギーになっている時にはいいと思うけれども、それが一種の粗さになった時にひっかかると思うんですね。粗さもそれは魅力だけれども、なんらかの形でチェックしていく必要はあると思うんだよ。

立松　そうだね。

沢木　それはなにも立松さんのものだけじゃなくて僕のもそうなんだけれど、読者は一つの本を読んでいくとどこかでひっかかるよね。それが書き手の意識したところでひっかかってくれるならいいんだけれど、つまんないところでひっかかられると困るわけだから、それを回避するためにも、素朴な意味で技術を錬磨していくという方向は一つあるよね。

立松　試行錯誤の連続で、もちろん腕を上げたいと思って毎日謙虚にやっているんだけれども(笑)。

沢木　みんなそうだろうけど(笑)。

立松　余分な力が肩に入っているからスナップが効かずに球が伸びないとか、力いっぱいバットを振り回すからいいってもんじゃないし……(笑)。それはいちばん俺がよくわかっているんだ。ただね、その時ビビることだけはぜったいすまいというかさ、欠点もなにもかもわかっていて腕をぶんぶん振り回しているんだ、まだ。それでも、ある方法論を持って自分を制御していかないと、ある瞬間から言葉は一行もでてこないよ。それからは自在になってよいものが書けるかもしれないし。誰でもそうだと思う。

沢木　うん、僕にそういう方法論だとか技術とか意識する時代がくるとは夢にも思わなかったな。誰でもそうかもしれないけど、無限に僕は意識しないで生きていくんだと思っていた(笑)。そうしたら、三十過ぎたらやはり方法論を整備していくという方向になってきましたね。

立松　そうでしょう。それは俺も全く同じなんだ。この辺を切ったほうが短編としてまとまる、とか思う時もあるよ。でもそれに従っていくと、俺が俺でなくなっちゃうというか、若がっているのかもしれないけど(笑)。そういう切らないところに沢木さんはひっかかるんだと思うんだよ。そこが俺の欠点だということもわかっているんだ。一作できるたびに、「また名作を書いてしまった」なんて人には言っているけど(笑)。

沢木　言い切らなくっちゃいけないよ(笑)、僕だって言っちゃうからね(笑)。

立松　セルロイド細工みたいなキラキラしているものばかりだけじゃなくて、レンガのかけらでもなんでも俺は受け入れていく。そうしていくうちに受け入れていく袋がだんだん大きくなって、何か摑《つか》めると思うんだな。

事実と作者

立松　この間ね、ある事件があって、そのことをいつか小説にしたいと俺は思ったんだ。殺人事件なんだけどね、それを書く構想があるというのがどこからか犯人の関係者の女性に伝わってね。向こうから電話してきて、会ったんだけれども、「書くな」と言うんだ。平和に暮しているのに、今さらむし返すなと言うわけなんだ。そういうことを言われたのは、実を言うと初めてなんだよね。ちょっと困っているんだ。そういうことない？

沢木 日常的にありえますね。

立松 そうだろうね。その時に、俺はフィクション書くんだから関係ないよと言うのが正論だと思うんだよ。小説家としてはまっとうな姿勢だよ。だけどね、単純に、それを書いたら例えば妹が自殺すると言われたら、もう生身の人間として退くしかない。また、全くフィクションであるとして読者を説得できるかというとその自信もない。というのは『遠雷』では宇都宮、『太陽の王』では与那国なんて、一言も書いてないよね。にもかかわらず、宇都宮だ与那国だってはっきりいわれるしさ。文学上では何処にもない土地だけど、そうは見てもらえないんだな。俺、いま立ち止まっているんだよね。ちょっと解決の方法が見つからないでいるんだ。

沢木 僕の場合、おおざっぱに言ってしまうなら書かないね。自分の職業に対してそれほどの意義を認めないから。僕がジャーナリストじゃないといつも思っているのはそこなんですよ。世の中に対して責任を持てないし、もし自分の書くことによって世の中の人を本質的に損なうならば、ぜったいに書かない。つまり僕は書く事実には責任を持つけれども、世の中に責任を感じるとか義務を感じるつもりは全然ないから。この世の中に絶対に書かねばならぬ、なんていうことがあるとは思っていない。

立松 明解な解答を得たような気がするな。それはしかし、事実に殉じている人の言葉だよ。俺は言葉に殉じているんだよ。それなのに事実に負けていいのかという気がするんだ。

沢木　うん、なるほど。

立松　事実というものがあたかも本質のような顔をして横から出てきた。これは誤解じゃないかと思うわけなんだ。

沢木　それはこういうことだと思うんだ。一つには、他人に対して書く権利を物書きはどこまで持つか、という問題だよ。例えば、立松さんだってどこかで家族、奥さんなら奥さんを傷つけている場合があるよね。

立松　うーん、それははっきり言ってありますね(笑)。

沢木　そうでしょう(笑)。だけどそれは許されると思うんだ。というのは立松さんにとって奥さんはある意味では宿命的な関係にある人なんだ。逆に言えばあくまでも責任を持てることでもある。宿命性のある関係においては、物書きはある程度まで書く権利を有する、オーケーだと思うんだ。そのかわりにどこまでも引き受けるわけなんだから。しかし、僕は取材をする者として、他者に自由に関われるかわりに自由に逃げられるよね。自由に関係を廃棄できる立場なんだ。そういう関係における人については、その人が望まない限り書く権利は有さないと思うわけ。にもかかわらず立松さんが書きたいと思う、それを僕ならどうするかと言えば、書く対象についてつまり、こいつとは今は他人だ、しかし僕にとってはこの関係はもう切れないんだと、要するに僕はこの関係から逃げ出さないだろう、と思った時に書くだろうね。

立松　それは言ってしまえば、ニュージャーナリズムの倫理観ということなんだろうか。

沢木　単純に言うとそうなるけど……ニュージャーナリズムがどうということではなく、やはり個人的な、としか言いようがないね。

立松　物書きがまわりを傷つけているというのはよく言われるけれども、俺なんかそれに対してすごく敏感なんだよ。居直りたいけど居直り切れないというかさ。俺はフィクションを書いている人間だからどこかでそんなきびしい関係を回避してこられたんだろうけど、まだ一行も書いていないものについて、私を殺す気か、子供たちや妹や両親を殺す気かみたいなことを言われて、小説というのは全くフィクションのはずなのにどこかで事実に足元をすくわれているな、という気がしたんだ。書くということもまだ決めたわけではないし、書くとしても全く別のものを作っていくんだけれども。

沢木　そこで僕が言えることは、もちろん立松さんだから大丈夫だと思うけれど、すべてを引き受ける覚悟だよね。どんなに関わり方の薄い、つまり想像力を刺激するだけの対象であっても、その覚悟がなければ全くだめだと思う。

立松　うん、それは今まででもやってきているつもりなんだ。ただね、自分がそういう覚悟をする、つまり耐えるということと、相手を傷つけるということとは全く違うことだからね。自分なんか死んでもいいいんだよ。

沢木　そうだね、その通りだね。僕がノンフィクションを書くことで疲労感を覚えるのは、まさにその点だね。ほんの十年余りの間に僕の引き受けなければならないことがひじょうに積ってきた。どうするのか、どうすればいいのか、ノンフィクションを書くのをやめればいいのか……正直に言ってわからないね。ほんとに……そういう意味での疲労感は溜まりすぎちゃったね。

立松　自分に正直であればあるほどそういう場面は想定できるね。その疲労感はわかるよ。過去のかたづいた事件ばかりを追えるとは思わないしさ。

沢木　うん、そうなんだよね。例えばトルーマン・カポーティが『冷血』を書いて、その後何も書けなくなったってよく言われるけどさ、カポーティに言わせるならば、というか僕から言えば、あれだけのノンフィクションを書いて、また平気な顔をして次も書けるというのはどういうことだ、ということがあり得るよね。

立松　それはフィクションに関しても言えることだよ。つまり何かを書くということは……俗っぽい言葉で言うならば、書けば書くほど深みに嵌《は》まることだよね。血まみれになった状態で書かざるを得ないことですよね。事実との関係においては沢木さんのほうがしんどいと思うけどね。

沢木　事実という一点に関してはね。でもはるかにきつい状況が立松さんにはあるよね。

立松　うん、まわりの人間をことごとく傷つけているからねえ。

沢木　俺、ちょっと震えちゃうところあるよ、『雨月』なんか読んでいると(笑)。

立松　女房は俺の作品読まないことにしてるんだよ。いちいち頭にくるからって(笑)。業みたいに背負っていかなければならないとは思っているんだ。そういうことが今になって気になりだして。お互いに十年じゃない。

沢木　十年ですねえ。何なんだろう。つまらないことにこだわって……。

立松　今頃ほんとにこう、人から見ればつまらんことだけどさ、そういうことでいじいじするねえ。

沢木　細かい、ほんとに小さなことが気になりますね。

立松　ほんとにそうだね。

いくつもの人生を生きて

吉永小百合
沢木耕太郎

よしなが　さゆり　東京都生まれ。俳優。

この対談は一九八四年の「ＭＯＲＥ」七月号に掲載された。しかし、本来は雑誌のための対談ではなかった。

当時、私はＦＭ東京でひとつの番組を受け持っていた。それは「私が会いたいと思う人と、その人が望む場所で話をする」というものだった。たとえば、高倉健さんと北海道の牧場で、たとえば、美空ひばりさんとは赤坂の料亭で、という具合である。そして、吉永さんとは、修善寺の、能舞台があることで有名な旅館で、ということになった。修善寺という土地は吉永さんの新作の撮影地だったからだが、その旅館にしようというのはこちらからの提案だったかもしれない。

細かいことは曖昧になってしまったが、はっきり覚えているのは、そうしたやりとりのすべてを、吉永さんがご自分でおやりになっていたということである。吉永さんは、かつて属していた事務所を離れることになって以来、マネージメントのすべてを自らの手でやろうと決め、実際におやりになっていたのだ。フリーランサーとしての私も事務処理のすべてをひとりでやってきたが、その大変さはかなりのものだった。しかし、私などとはスケールの違う量の仕事が押し寄せてきていただろう吉永さんは、それでも現在に至るまですべてをひとりで受け止め、ひとりで考え、ひとりで決断していらっしゃるらしい。その強い意志の前には自然と頭が下がってきてしまう……なんて書くと「私は仏様ではありません」と叱られそうな気がしないではないけれど。

（沢木）

わからないものに惹かれる

沢木　先日、三鷹の小さな映画館で『細雪』を見たんですよ。夜でしてね、きれいな着物が出てくるきらびやかな映画を見ながら、ひとりでブツブツ呟《つぶや》いているおばあさんが近くに座っていて、それもとても興味深かったんですけど、驚いたのは三女の役で出ていらした吉永さんの表情なんですよね。これまでの吉永さんの映画では見たこともないような、ちょっと意地の悪い顔をしていて。面白かった(笑)。

吉永　ああいう意地悪い表情はいやだという方もいらっしゃるんですよ。でも私は、毒のある役をほとんどやったことがなかったから、その「毒」がとても面白くて、どんどん役に入っていったようなところがありました。

沢木　あの役柄というのは、ご自分では納得できるタイプの女性なんですか。それとも、やっぱり縁遠いほうなんでしょうか。

吉永　そう、共通点はあんまりないですけどね。ああいうネチッとしているのって、自分の中にはまるでないから、逆に面白いっていうか……。

沢木　ネチッとした感じのふるまいをすることは、日常的にはほとんどあり得ませんか。

吉永　まずないですね。もう、ポキポキ、パキパキという感じで。

沢木　しなって粘るよりは、折れちゃうのかな。少なくとも、直線的なんですね。

吉永　直線ですね。将棋の駒でいうと、香車なんですよね。

沢木　前にしか行かれない。

吉永　そうなんですね。後に戻ることはまずない。いろいろ迷って、やろうか、やめようかっていうときは、やるほうをとるタイプなんですね。

沢木　意外ですね、それは(笑)。

吉永　ただ、年齢的なこともあるんでしょうけど、ここ一、二年、少しずつ変わってきてるな、とも思いますけどね。

沢木　二者択一のときに、踏み出さないようになってきたということですか。

吉永　そういうところは変わらないんです。変わりつつあるというのは、たとえば自分の役に対する好みなんかですね。今まではもう、とにかくひたむきに、ひたすらに……。

沢木　耐えるというような感じのものが続きましたよね、下を向いて、じっと、という。

吉永　そうですね。心に秘めていく、みたいな役を好きで選んでたのだけれども、さっきの毒の話じゃないんですけどね、何かもうちょっとドロドロしたものもやってみたい、というふうに変わってきたんです。

沢木　水がサラサラと流れるんじゃなくて、どんよりと淀んだような……。

吉永　わからないもの。

沢木　答えが明確に出ないもの、ですね。

吉永　ええ。そういうものに惹かれているんで、少し変わってきているのかなと思えるんですけどね。

沢木　吉永さんって、どういう人なんだろう。いちばん地に近い性格を二言か三言で表現すれば、どういうことになります？

吉永　天衣無縫《てんいむほう》……ですね。

沢木　またまた意外な言葉を聞きますね(笑)、天衣無縫!

吉永　そうですか?

沢木　しかしその天衣無縫さを今の吉永さんはすべて開放してるようには見えませんけどね。ひそかに開放できる空間とか、相手とかがいるんですか。

吉永　今はなかなかないですけど、子供のときは、とにかく信じられないくらいにアッケラカンとした性格でしたね。

沢木　あるとき、それが……。

吉永　ええ、ちょっと挫折したというか、あまりに私がそういう性格なんで、ちょっとほかの女の子たちから浮いちゃったんですよ。中学校のときにね、たまたま『赤胴鈴之助』というラジオの子役をやるようになって、目立つわけですよね。目立つ上に天衣無縫だと、ダブルでもう、目立っちゃうわけです(笑)。

沢木　女の子はいやがりそうだな。

吉永　やっぱり耐えられなかったでしょうね。あるとき、クラスの中で女の子とゴタゴタして、一年間同じクラスの女の子と口をきかなかったんですよ。そのときにすごく内気な性格に変わっちゃったところがあるんですね。

沢木　いま考えてみれば、ということですね。

吉永　ええ。また三十過ぎてこのごろになってから、昔のがだんだん戻ってきているんですけどね(笑)。

沢木　スターになっていく過程で、吉永さんが本来持っていらしたその自由さというのは、抑えつけられていったわけですね。逆にスターになると、それが開放的になるという人もいると思うんですけど。

吉永　私は、そのときの怖さがあるし、自分がだんだん注目されたりすればするほど、地味にしないといけないなっていう、不思議な防衛……精神みたいなものがあったと思うんです。

違う人になる

沢木　十代の後半で、すでに日本中の人が自分のことを知っているという可能性がある。それはどんな気持ちでしたか。重くはなかったですか。

吉永　そのころはただただ夢中で仕事していましたから。

沢木　別に意識しなかった。

吉永　そのころはね。たまたま経済的な理由から仕事を始めたものですから、そういうことを考える余裕がなくて。

沢木　立ち入った質問ですけど、経済的な理由というのは？

吉永　自分が上の学校へ行くためには、自分でやっぱり仕事を——仕事というかアルバイトのつもりだったんですけどね、しないといけないような家族の状態だったものですから。それがアルバイトにならなくなって、まったくの本業になっちゃったんですよね。

沢木　アルバイトという意識はかなり長くありました？

吉永　今でもね、完全にプロフェッショナルじゃないところがあるんですね。この世界で、みんなが見てる前でお芝居するっていうことをふっと考えたときに、何かとても恥ずかしいなっていう思いがするんですけど……。

沢木　しかし、にもかかわらず、結局何年やってらっしゃいますか。

吉永　そうなんですね（笑）。二十四年。

沢木　恥ずかしさにもかかわらず、二十四年もやってこさせた力は何なのでしょう。

吉永　やっぱり、違う人になるっていう面白さじゃないかな。そんなこと、この仕事しかできないことでしょう。本当に人生は一回しかないのに、私たちだけがいろいろな人の人生——それはかりそめの、ですけど、何人もの人生を経験できる、味わうことができるわけです。それは、恐ろしいほどに素敵なことですね。

沢木　きっと誰にも、この人生じゃない、もうひとつの人生を生きてみたいという願望があると思うんですよ。僕も、ノンフィクションを書きはじめた最初のころは、いろんなことをやりましたね。競馬のことを書くなら、厩務員《きゅうむいん》の見習いのようなことをやるとか、ボクシングならプロモーターまがいのことをするとか、どこかの土地に長く住みつくとか。だから取材をするということは常に変身するということでもあったわけです。でも、どこかに後ろめたさがあるんですね。自分にはいつでもそこから抜け出して帰る場所があるということにね。

吉永　それに似たことは私にもあります。面白いっていうことと、恥ずかしい気持ちが常に交錯してますね。私の場合は、その役があって、自分をなくしてそこに丸ごと入っていくというタイプじゃないんですね。役があって、自分があって、両方で引っ張りっこしてるわけですよね。それでいつもどこか折り合うところを見つけて、それが吉永小百合に近い場合もあるし、役に近いっていうこともあるし、そのへんでやっている。

沢木　ある種のせめぎ合いが必ずあるわけですね。

吉永　そうですね。だから、生理的にちょっとこのセリフは言えないとか——それは役の生理じゃなくて、自分の生理でそうなってしまうときがあるんですよね。

沢木　そういうとき、どんなふうに解決するんですか。やはり言えないということにこだわっちゃいますか。

吉永　だけどね、それを一人で悩んでいるとやっぱりだめなんで、その監督さんなり、プロデューサーの方に相談するんですよね。「こうなんですけど」って言って、答えが返ってきますでしょう。またそれで自分で反芻《はんすう》してみるわけですね。そうすると、スーッと嘘みたいに言えるときもあるし、「いや、絶対にこれはだめ」っていうときもあるんですよね。

沢木　役になりきる、なんていう言葉では収まり切らない何かがあるわけですね。

吉永　ほんとに、役と自分との不思議な関係があって。

沢木　今度の『天国の駅』の主人公の役と、吉永小百合さんとの関係は、どんなふうな位置関係になっているんですか。

吉永　これはもう、とってもむずかしくてね。私のほうにうんと引き寄せるわけにいかないんですよね。だいぶ役に引っ張られてやってるんですけども、ただ『細雪』で毒のある役をやりましたけど、もう少しそれがエスカレートした役なんですね、今度のは。人を殺すわけですよ。ふだんいくら普通にしてても、どこかに狂気みたいなものがあると思うし、そういう気持ちは自分の中のどこかにあるんだろうか、ないんだろうかって、自分で今やっててね。
沢木　しかし、単純に言ってですよ、殺意ってものを抱いたことはありませんか？
吉永　殺意はないんです。沢木さん、あります？
沢木　僕は、ないことはないな。
吉永　そう……ですか。でもね、夢は見るんですよ、人を殺す夢は。
沢木　本当？　何だかそっちのほうが怖そうですけどね(笑)。
吉永　だから潜在的にはあるのかもしれないんですよ。殺す瞬間はないんですけど、逃げる夢とかね。

修羅場について

沢木　『天国の駅』のかよさんという女の人のたどっていく修羅場はいくつかありますよね。あんな殺人の現場じゃなくても、人間と人間の関係の中で、吉永さんが修羅場を通過したと思っていらっしゃるような経験はありましたか。
吉永　そうですね……。修羅場というところまでは行っていないんでしょうけど、絶壁までも行ってないけれども、右か左かキチッと選ばなければいけないというような厳しい状態になったことが、三回ですね。
沢木　三回。明快に数が出てくるんですね。ぶしつけかもしれませんが、それについてうかがってもいいですか。
吉永　はい。

沢木　最初の一回は何だったんですか。

吉永　一回は、『野麦峠』という映画を自分たちの事務所で作ろうとしたときですね。シナリオができたんですけど、もうひとつということで、また新しく作り直したんです。ところが、それができてきたときに、これは自分が本当にやりたいものじゃない、と思ってしまったんですね。

沢木　部分的に改良すればいいとかいうことじゃなくて、企画自体がですね。

吉永　はい。全部がすぐにも撮影に入れるような体制になっていたんですけれども、プロデューサーをお願いしていた宇野重吉さんのお宅に一人でうかがって、「中止させてください」とお頼みしたんです。

沢木　そういうことがあったわけですか。あの中止には。

吉永　それも私のすごく悪い癖で、事務所で作るというか、私なんかのような俳優が映画の製作をするという形にはとても疑問を持っていながら、そのときまで自分の意見をはっきり言わなかったんですね。それでいて、最終的な断を下すとどんなに反対されても貫いてしまう。

沢木　二度目はどういうときだったんですか。

吉永　結婚のときでした。親が反対だったんですね。だけど、「どうしても結婚します」ということで、家を出てしまった。私は日ごろ三十歳までは結婚しないと言っていたらしいんですね。当人はよく覚えていないんだけど、それがなぜか二十八になったらどうしても結婚したくなっちゃった。親にしてみれば「そう言ってたじゃないか」という思いがあったんでしょうね。それに、途中経過を報告しないんですよね。私は、自分で決めたときには、もうパッとそういう道に走ってしまうようなところがあってね。

沢木　しゃべると大事なことが壊れてしまうというような心配があったんでしょうか。
吉永　どういうんでしょうね。しゃべることが不得手《ふえて》ということもあるんです。
沢木　と、思ってらっしゃるわけですね。相手を説得するとか、何かを伝えるということはむずかしい、と決めちゃっているわけですね。
吉永　そうなんですね。だから、今でもどうしても自分の気持ちを確実に伝えたいと思うときは手紙にしちゃうんです。しゃべっていると何か自信がなくなっていくんです。手紙はあいまいな表現ってできませんでしょう。
沢木　読み返せますしね。
吉永　ほんとに。
沢木　三回目というのは何ですか。
吉永　これも仕事上のことではないんで話しにくいんですけれど……。親が本を出したんですよね。それがとてもショックで、結婚して一応はなんとなく喧嘩もそうしないでいられたんですけど、やっぱりそれ以来、話し合っても解決できないんじゃないか、別々の道を歩いていくほうがお互いに幸せなんじゃないか、という判断を下さなければならなくなったんですね。
沢木　なるほど……。僕が「修羅場」という言葉を出したのは、たとえばこういうことがあったからなんです。あるとき、偶然ある飲み屋に入ったら、そこにたまたま吉行淳之介さんと阿佐田哲也さんがいらっしゃったんですね。まわりにも物を書かれる方で有名な方たちはいらしたんだけど、なぜかその二人がパッと輝いて見えたわけです。僕は端っこに座って酒を飲みながら、どうしてあの二人があんなに存在感があるんだろうと考えつづけましてね、出た結論が「修羅場を踏んでる」ということだったんです。吉行さんは女なら女で、阿佐田さんは博打《ばくち》なら博打で、いくつもの修羅場を踏んできているにちがいない。男にとっては、そのような場を踏んできているかどうかが決定的な意味を持つのではないか、と。しかし、確かに修羅場は男の顔に味を出させるかもしれないけれど、女の人の場合はどうなんでしょう。やはり同じなのかなあ。

吉永 どうでしょう……。

沢木 顔って、男でも女でも年とともに変わるものなんでしょうけど、吉永さんはどういうふうに変化してきました？

吉永 最初のころはどっちかというと少年顔だったんですね、目がつり上がっていて。でも、映画へ入って二年ぐらいたったら、何かやわらかくなっちゃって――女っぽいというんじゃないんですけどね。

沢木 少なくとも女の子にはなりましたよね。

吉永 そうですね(笑)。で、どうなのかなあ、今は少し違うみたいですね。

沢木 最近「今が吉永小百合の一番きれいなときだ」と言う人によく会うんだけど、そういう言い方をされる理由が何か自分にあると思われますか。

吉永 年齢的にも、精神的にもちょっとこう……少しは幅が出てきたような気がするんです。1＋1＝2という感じじゃなくね、いろんなプラス・アルファも全部まとめて自分の中で持ちたいなという思いがあるので、そういう部分で多少はふくよかになったのかなと思うんですけど。

沢木 お会いする前は、もっと細くて、もっと小柄な方だと思ってました。お会いして、意外に普通なんで驚きました(笑)。そんなことを言ったら、みんなに怒られるかもしれないけど。

吉永　いえ、そうなんです。普通なんですよね。年齢なりで、普通でいいんです。ただ、やはり映画なんかは、見ていてお客さんが楽しい気持ちになってくださらないと……そういう意味では、高倉健さんと仕事をして、節制ということではずいぶん教わりましたね。

沢木　あの方には、そういう部分に関する強烈な影響力がありますね。

吉永　あります。やっぱりカリスマですね。

沢木　お会いすると、僕のように役者でもなんでもない人間にも磁力が及んできますからね。

吉永　高倉さんと渥美清さんというのは、ほんとに私にとって……。

沢木　渥美さんのカリスマって、どういう感じのものなんだろう。

吉永　ちょっと超えてて、たとえば思いがいつもアフリカにあるんですね。アフリカの自然について、渥美さんに独特の語り口で話していただいたりすると、こんなところで、埃《ほこり》の中で仕事してちゃいけないんじゃないかと思えてくるんですよ。そういうところに行って精神を洗ってこないと自分はだめになるみたいなね、そういう影響力のある方ですね。

私なんか、ずいぶん渥美さんの影響があって、仕事のやり方が変わってきましたね。俳優なんて、役者なんて、二カ月先に何をやるなんて決まってちゃいけない、とおっしゃるんですよ。もっと定めのないものというか、行き当たりばったりでなきゃいけないと。そんなことを聞いたときに、私は一年半先のスケジュールが決まってたりしたんですよね。とてもそれが恥ずかしかったんです。とにかく一回そういうことを断ち切らなければいけないと思って、結局、そのためには結婚するしかなかったんですね。形で区切りをつけて、とにかく休みます、というふうにしないとね。

沢木　吉永さんにとっては、結婚というのはたいへん大きな事業だったんですね。どんな女の人でもそうかもしれないけど(笑)。

吉永　私たちなんかほんとに――そんなことを言うといけないのかもしれないけど、同棲でもよかったんですね。けれどもとにかく一回、形ではっきりさせなきゃいけないということで結婚という手段を取ったんだけど、それには渥美さんの影響がすごく大きいですね。

沢木　僕も、少なくとも仕事の上では何にもしばられたくないですね。いつもなんとなくこれが最後の仕事じゃないかと思いながらやってるんですよね。ひとつが終わって、次に何か本当にやりたいことが出てきたらまたやる。だから、仕事の予定なんてないんです。だって、やっぱり物書きも、役者さんと同じようにやくざなものですものね。

吉永　そうかもしれませんね。

沢木　ええと、そのようにして結婚なさったご主人とは、男と女の位置の取り方では、かなり昔風なんですか。

吉永　どっちかというと、うちでは私のほうが男性的で、主人のほうが女性的です(笑)。まったくそういう感じですね。細かいことに気がつくのは主人ですし、電気をつけっぱなしにしておくのは私ですしね。でも一般的にそうなんじゃないかな。男性のほうがナイーブで繊細で、若いころはまた別なんですけれども、特に私たちくらいの年齢になると、女性のほうがたくましくて度胸があるというか、何かそんな気がしちゃうんですけど。間違っているかしら。

沢木　ほとんど正しいんじゃないですか(笑)。

吉永　そのぶん女のほうが寿命が長いのかな(笑)。たくましいというか、図々しいというか、生命力があるというか。

沢木　吉永さんは、生命力が旺盛ですか。
吉永　うーん……そうでしょうね。

胸が震えた俳優

沢木　生命力の旺盛な吉永さんは、どんな日常生活を送ってらっしゃるんです？　まったく素朴な質問で申し訳ないんですけど(笑)。仕事をしているときとそうでないときは生活のパターンがまったく違うんでしょうけど、たとえば仕事のないとき。
吉永　どっちかというとじっとしていられないほうだし、とにかくスポーツ人間なんですね、沢木さんと一緒で。だから昼間は必ず体を動かしてます。家の近くを走ったり、何もできないときは、三十分歩くことにしているんです。電車なんかにまったく乗らないで銀座から家まで歩いて帰ってくることもあるし、ゴルフの練習場に行くこともあるし……。
沢木　聞いてみなけりゃわかんないものですね。
吉永　体を動かしてないと、スポーツしてないと、ちょっと体のバランスが崩れてしまう。そういうタイプの人間なんですね。
沢木　それじゃ、家にいて、こたつに入ってお菓子を食べながら本を読んでいる、なんて感じではないんですね。
吉永　ないんです。意外に読書家とか思われているらしいんですけど、積ん読趣味だけで実際にはなかなか読めませんね。

沢木　今、ごくごく関心を持って読まれているような本ってあるんですか。次に『おはん』をやりますよね。宇野千代さんのものはよくお読みになるんですか。

吉永　あまり読んでないんです。『おはん』と短篇をいくつかというくらいで。沢木さんはいかがですか。

沢木　僕もたいして読んでないんだけど、『おはん』を読んだときはびっくりしましたね。鋭さとはまったく正反対の文体で、ねっとりとした物語に仕上がっているんですよね。逆に僕なんかには新鮮でした。今度の『おはん』の役は、再びじっと待っているような女ですよね。

吉永　表面はそうなんだけれども、市川崑監督はやっぱりもうちょっと違うことを考えて、その中にいかに毒を盛りこむかということを考えていらっしゃいますね。

沢木　すると、「毒三部作」になるわけだ(笑)。

吉永　そうなんですよ。だから、それは楽しみで――このごろ少し欲が出てきたのかしら、ただ耐えているだけの女じゃつまらないので、そうばかりじゃなかった女という形にしたいなと思っているんです。ねちっとした粘着力で、結局男にとって彼女は何だったんだろう、と、むしろものすごい傷を残していっちゃうような、そんな感じにできたらいいですけどね。

沢木　実生活の部分で人に傷をつけたり、意地悪をしたり、ということはしますか(笑)。そういうことはできますか。

吉永　願望はあるんですけど(笑)、なかなか……。やはり自分が傷つけられたくないと思っているほうだから、人にもそういうふうにできないというか。

沢木　そういう意味では、人と深く関わるという経験があまりないんですか。

吉永　そうですね。もうどっぷり関わるということはないかもしれないですね。

沢木　僕も苦手なところがあるけど、吉永さんもどちらかといえば、ずぶずぶという感じの人間関係は持たなかったほうなのかな。

吉永　そうですね。唯一どろどろしたものというか、修羅場というのは親との関係だと思うんです。男との関係じゃないんですよ。それが、やっぱりどんなに喧嘩しても何しても、血のつながった親なんですね。その辺が不思議だし、逆に親だから安心して対決できるというところが私の中にあるかもしれないと思います。

沢木　昔の小説には、親との対決の中で自我確立していくというのがひとつの柱としてあったけど、戦後、そういう確固とした、強い親が存在することは例外的なことになりましたよね。しかし、少なくとも吉永さんの場合には、ご両親が対立するあるものとして目の前にいらしたことになりますね。

吉永　うーん。対立というのでもないんでしょうね。愛されすぎちゃったということなんでしょう、親に。そのための悲劇だと思うんです。

沢木　愛されすぎてしまったことの悲劇か……それもすごい話ですよね。もし、もしもですよ。目の前に吉永さんの子供さんがいらっしゃって、役者をやりたいと言ったら、どうします？

吉永　私は、本人がやりたければやればいいと思うけれども、ただ体力がない子だったらやめさせますね（笑）。やっぱり一に体力、二に体力ですから。

沢木　体力と、もうひとつ必要なものがあるとすれば何でしょう。

吉永　意地があるか……でしょうね。負けずぎらいかということですね。
沢木　そうか、吉永さんは美しさとやさしさの人かと思っていたら、意地と体力の人だったんですね（笑）。
吉永　ええ（笑）。
沢木　同じ役者さんとして、心を惹かれた方なんていうのはいらっしゃいましたか。
吉永　それはもう。ただ、私が今まで小さいときからやっていて、男性としてみて胸が震えたのは森雅之さんでしたね。その辺の普通の俳優さんとちょっと違う、私が勝手に思ったんでしょうけど、素敵だったですね。
沢木　女優さんと会って胸が震えることとって、あるんですか。
吉永　それはありますね。たとえば、テレビで『夢千代日記』というのをご一緒させていただいている夏川静江さん。あの方が仕事場にひっそりいらっしゃる姿を見るだけで感動しますね。
沢木　そうか……もしかしたら、何十年か後に『夢千代日記』みたいな芝居があったときに、吉永さんがあの夏川さんのような役を……。
吉永　そう、できるかどうかなんですよね。それができれば、仕事を続けていく甲斐があるように思えるんですけど。でも、それはやってみなければ答えが出ないものなんでしょうね。

見えない水路

尾崎　豊
沢木耕太郎

おざき　ゆたか　一九六五年、東京都生まれ。シンガー・ソングライター。

私は、この対談が終わったあとのことを、『ポーカー・フェース』という本の中の「挽歌、ひとつ」というエッセイに書いている。

《対談が終わると、彼の行きつけの店らしいレストランバーに誘われた。「COOKIE」を生で聴いてもらいたいというのだ。

尾崎豊は、まだ誰も客の入っていないその店で、私のために「COOKIE」をはじめとして三曲、ギター一本で歌ってくれた。

それは実に心に残る「ライヴ」だった。

だからということもあったのかもしれない。以後、何度か尾崎豊からコンサートの誘いを受けたが、行く気になれなかった。どんなすばらしいコンサートでも、あの夜のライヴ以上のものは聴けないように思えたからだ。

しかし、フランクフルトで尾崎豊の死を知って、後悔の念が湧いてきた。どうしてコンサートの誘いに応じなかったのだろうかと。もしかしたら、歌を聴かせたいというだけでなく、そのあとで何か話をしたかったかもしれないのに……。》

その後悔の念は、死後しばらくして発表された写真の中に尾崎さんの小さな本箱を撮った一枚があり、そこに私の本が何冊か挟み込まれているのを見たとき、さらに強いものになった。

この対談は「月刊カドカワ」の一九九一年二月号に掲載された。

一九九二年、没。

（沢木）

アルバムの持つ力

沢木　この間の日曜日にはじめて尾崎さんの新しいアルバムの『誕生』を聴いたんですけど、そのとき七歳の娘がそばで絵を描いていましてね。それを聴き終わって本を読んでいたら、まだそばで絵を描いていた娘が「おいらのためにクッキーを焼いてくれ」って歌ってるわけですよ。僕は、最初それが何の歌かわからなかった。

尾崎　それは、音痴、ということではなくて？（笑）。

沢木　と思うけど（笑）、とにかくそれがあの「ＣＯＯＫＩＥ」という歌だとはわからなかった。学校の歌じゃないことだけはわかったんだけど（笑）。七歳の子が一回聴いただけで覚えてしまうということはとても素晴らしいことのような気がしてね、お会いするのが楽しみだったんですよ。

尾崎　ありがとうございます。

沢木　尾崎さんの歌は言葉が溢れてるけれども、言葉がしっかり伝わるよね。娘が歌詞を間違えないで歌えたのもそのためだと思いますね。

尾崎　ウチのマネージャーは、歌はうまくないけど、説得力はあるよねっていってくれてるんです（笑）。

沢木　そうなんですか（笑）。

尾崎　僕は沢木さんの『敗れざる者たち』を読ませていただいて、そのなかの、ひとりの人に取材するために二十人とか三十人の人に会う、という部分に共通点を見つけた、というか。僕も一曲のために十とか二十の経験をしないと作れないんです。

沢木　なるほど。経験といえば、いきなり核心に触れるような質問をしちゃうけど、いいかな。

尾崎　ええ。

沢木　僕は、すでに雑誌に発表した文章を一冊にまとめるときに手直しをするんですよ。掲載されたものをコピーして、それを一段ごとに切り離して紙に貼って、その周りの白いところに書き込みをしていくんですが、その切ったり貼ったりという手作業を二、三日かけて自分でやるわけです。そのときはレコードやラジオを流しっぱなしにしてやるんですね。で、何年か前にラジオのFM放送をかけっぱなしにしてその作業をしていたら、夜、山崎ハコさんのスタジオ・ライヴをやっていたんです。かわいそうに、ひとりでスタジオに入って演奏したり歌ったりしゃべったりしている。彼女は語ったりするのが得意じゃない人だと思うんだけど、その時、彼女がこんなことをいっていたんだよね。アルバムを出していくにしたがって、次第にボルテージが下がっていくことに自分自身も気がついていて、ものすごく悩んだって。だけど、一枚目のアルバムっていうのは、自分の人生の二十年分が全部詰まってたけど、二枚目は、二十年分をつぎ込んだ後の一年分しかつぎ込めなかった。だから、二枚目のほうがボルテージが落ちても、それは仕方がないんじゃないか、と思うようになったって。だけど、果たしてそうなんだろうか？　尾崎さんはどう思う？

尾崎　僕も自分が体験してきたこと、経験してきたことが歌になるわけですよね。こういういい方をするとすごく変かもしれないけれど、自虐的、なんですよね。つまり、一年の間に二十年分の体験をするために自分に対して厳しくある、というか、無理をするんです。時間というのはすごく限られていますよね、絶対的な時間しかない。その割り振りされた時間のなかでは、僕は絶対に生きていけないんですよね。その時間を逃しちゃいけないんと思うんですよ。だからちょっと無意味なんじゃないかなーっていう時でも、その場所に行って確かめないといけないっていうね。だから、傷ついたり、それを癒したりというようなスピードをものすごく早くしていかなきゃいけない。それがすごく大変なことであり、いちばんやりがいのあることなんですよね。

沢木　ごめんね、話をちょっと戻しちゃうんだけど、尾崎さんの一、二枚目のアルバムには十六、七歳くらいのときから作ってた曲が入ってますよね。それはまさに十六、七年分の尾崎豊がつまってて迫力がある。ところが四枚目くらいになると、聴いててかなり尾崎さんは作るのが厳しかったんじゃないかな、という気がしたんですね。その厳しさというのは、山崎ハコと同じで、一、二枚め以降の何年かの波風が歌にならない波風だったからなのか、それとも別の何かがあったからなのかな、と思ったんですね。四枚目の『街路樹』に入っているものはラヴソングが多いですよね。で、世界がずっと狭くなりますよね。

尾崎　そうですね。

沢木　やっぱり、一、二枚目が出てから四枚目が出るまでの何年間かというのは、アルバムに結集するような体験がなかったの？

尾崎　うーん。あれは、ニューヨークでの生活を歌にしたかったんですよ。でも、一年くらいではニューヨークでの生活感というものが自分の中につちかえなかったというか、ニューヨークに馴染《なじ》めなかった部分がすごく多かったんです。だからその辺が『街路樹』のちょっと未完成なところというか。

沢木　不思議だね、ニューヨークの話といえば、今回五十七丁目を歌った歌がありますよね。時間がちょっとずれたほうが作りやすいのかな。『街路樹』に入っていたものより、気配がいいような気がしたけどね。

尾崎　あー、なるほどー。うーんとね、『街路樹』はニューヨークにある退廃的なもの――ドラッグにしてもそうだし、犯罪にしてもそうだけど――そういうものに対応していく自分を歌いたかったんです。

沢木　対応する？　それは溶け込んでいくという意味なの？

尾崎　溶け込んでいけない、孤独になった自分がいたんですよ。たくさんの価値観があるニューヨークという街でポツンとたたずんでいる自分は、本当にただの街路樹のような気分がしたんですよね。それでも僕は一生懸命生きている、というようなことが、本当はあの中でいちばんいいたかったんです。最後に合唱を入れたのは、耳には聞こえない、心にしか感じられないところで、誰もがひとりで生きようとしてるという共通項を見つけて合唱してるんだっていうような気持ちがあったからなんです。具体的な例をあげて歌ってる歌じゃないんで、僕にしかわからない、ある意味で自慰的な歌なんですが。

沢木　なるほど、内に向かってるわけですね。

尾崎　ええ。あの時点で僕は何かにつまずいているんですよ。それに気づきながら歌っていることに意味がある、と思っていて。こういういい方は横柄かもしれないけど、今回のアルバムの完成度も非常によかったと思ってますけど、『街路樹』に関しても、僕の人生のなかで非常に大切なものだったと思うし、将来、ベスト・アルバムを作るときにあの中の曲を入れることに非常に意味合いが出てくる、という気がしてるんですよ。

差し伸べられる手

沢木　なぜ『街路樹』を聴いていて、ある意味でひっかかったかというとね、僕が二十代の頃からそうしょっちゅうではないけれど、折々に会っていろんなことを話している井上陽水という人と尾崎さんが、ある近いところにいながら全然違っている、というところなんですよ。一、二枚目もそうだけど、尾崎さんの歌は「僕」がいて「君たち」や「あなたたち」がいる。でも、井上さんは「君たち」に向かっては絶対に歌ったことがない人だと思うんですよ。だけど、あの『街路樹』に関しては、割と「僕」がいて「あなた」がいて、というパターンが多かったような気がするんだけど、そんなことないですか？

尾崎　あの時はほとんどひとりの生活だったんですね。とても刹那《せつな》的な恋に落ちることはあっても情熱的になるということもなくて。だからこそ余計に、他人への見方が厳しかったような気がするんですよね。

沢木　なるほどね。陽水は、それに僕も、といっていいんですけど、単数と単数の世界でしか歌ってこなかったし、書いてこなかったんですね。それで、二十代の終わりくらいにいつもふたりで「いつか問題がでてくるとすれば、ラヴレターが書けなくなった時じゃないか」って話してたんです。要するに僕にとって書くという作業は誰かにラヴレターを書くことだったという時代が長く続いていたんです。仮に尾崎さんについて僕が何か書こうと思った時には、僕とあなたとはこれだけの距離がありました、という確認をするために書くんですね。それを尾崎さんが読んでどう思うかってことで書くわけです。だから、そこには「彼ら」とか読者とか一切関係なくて、書く対象である、単数である、尾崎豊という人しかいない。陽水の歌も基本的な誰かに向けて書いているはずなんです。尾崎さんは少年時代に井上さんの歌を聴いていた時期があるとおっしゃってますよね。歌もうまいし、声もきれいだし、井上さんと似てるところはあるんだけど、決定的に違うのは、尾崎さんは複数に向かって歌いかけたことがあるということなんですね。過去だけじゃなくて、現在もそうですよね、歌いかけたいと思っているところがあるわけでしょ?

尾崎　そうなんですよ。今の日本の音楽のリスナーっていうのは、自分が全体的なものに含まれている、ということに安心感をおぼえていると思うんですよね。それをテーゼにして歌ってあげることが、彼らにとってすごい喜びになっている気がするし、君たちはひとつの集団に帰属してるんだ、ということによって安堵感《あんどかん》を与えることが、今のロックシーンのメインになってるような気がするんですよね。でも僕は、本当はそれだけじゃ確立されないような気がするんです、日本のロックシーンは。なんていうのかな、ひとりの孤独な人間が歌っている生き様を、ひとりの孤独な人間が聴く、という作業が、今言われたラヴレターの存在ですよね。僕のレコードにも若干そういうところはあるし、僕が基本的に目指しているのは、沢木さんや陽水さんと同じように、一対一の関係のレコードなんですよね。

沢木　誤解しないでほしいんだけど、尾崎さんが僕らと違うっていうことを否定的にとらえているんじゃないんです。それができる、ということに対してある新鮮な驚きがあるんですよ。僕も陽水の場合も、作品が対象の人に対するラヴレターだとすれば、本当はそれを発表しなくたっていいわけですよ、その人に直接渡せばいいんだから。もちろん、作品として発表するにはそれとは違う要素があるんだろうけど、でも、その中にはこれを人々がどう聴くだろうか、ということが欠落してるわけですよね。ところが尾崎さんの場合は、もちろんある種のラヴソング、というか、一対一の関係を歌ったものもあるだろうけれども、聴き手の問題というのをわりと多く考えていますよね？

尾崎　そうですね……。いや、これがまた違うんですよ。もちろんこれは、聴き手がそう思うであろうということを意識しての発言なんですけど、僕の場合は、聴き手側にこう思われたい、と思って作る曲よりも、聴き手を無視して、聴き手が不様だ、と思うような形で突っ走って作った曲のほうが意外と理解されるんです。

沢木　それはよくわかる。これを聴き手はどう思うんだろう、なんて考えて作っていくんじゃないことはもちろんだと思うのね。そうじゃなくて、僕がいったのは、どこか気持ちの根底に、すごく大袈裟にいうとき、聴き手を救済したい、というような願望があるでしょ。

尾崎　うーん、救済されたい、という願望からくる逆説的な……。

沢木　それと対になってるんだろうけど、どこかにその気持ちがあるよね。

尾崎　ありますねー。

沢木　その気持ちっていうのは、陽水にも僕にも絶対にないものなんですね。仮に突っ走っても、好きなように作っても、どこかで聴いてるやつが救いあげられたらいいなーというものを片隅に持ってるか持ってないかってことでいうと、尾崎さんは持ってるんだよね、多分。

尾崎　僕の根底にあるものは、誰かに支えられてる愛情だ、というのを強く感じるんです。で、逆にそれを僕も与えられるような人間になりたい、という願望がすごくあるんですよ。もちろん、だからといって聖人君子のような人間になれるはずもないし、いい人間だと思われたい、ということともまた違うんですけど。押しつけがましくない優しさを与えられる人間になりたいと思ってるんです。実は僕は非常にウチの兄のことを尊敬してて……。

沢木　話の腰を折って悪いんだけど、あなたの歌詞に兄弟のことがどうして出てこないんだろうって不思議だったんだよね。ところが今度のアルバムの最後の曲で「兄貴」という言葉がはじめて出てきたでしょう。なぜ兄弟のことについて触れなかったのかも含めて話してほしいな、お兄さんの話。

尾崎　兄は実は頭がよかったんですよ、昔。昔っていうと……昔なんですけど(笑)。五歳年上で、全国の模擬試験で必ず十番以内に入っていて、中学の頃はこのまいけば東大まっしぐら、ともいわれてたんです。で、都立の三二群っていう学区のいちばんいい高校に入ったんですけど、都立っていろんな人がいるからいろんなことを覚えて……。おかげで僕は、中学一年の頃に兄貴にお酒の飲み方とか煙草の吸い方とか、マージャンとか教えてもらえたんです。ま、その三つで兄貴は人生を棒に振ったんですけどね(笑)。

沢木　本当に棒に振ったかどうかなんて、まだわかんないよね。

尾崎　まあ。

兄と歌った「中央フリーウェイ」

沢木　でも、どうしてお兄さんのことを歌にしなかったんだろう。

尾崎　兄貴もそうなんですけど、僕にとってはオヤジも大切な存在で。こんなことを話せるほどウチが貧乏だったのかどうかわからないんですけど、僕は自分の家が貧しかった、ということにある種のコンプレックスみたいなものを感じているんですね。オヤジは働きながら三十で明治大学を卒業して、その後自衛隊に入ってるんですけど、本当は弁護士を目指していたんです。兄貴も早稲田の法学部に行って弁護士を目指して、僕だけが目指さなかったというか……。僕は勉強が好きじゃなかったというのと、転校していじめられたりしたせいで——オヤジが空手の先生だったおかげで、最終的には逆転したんですけどね——勉強というものから離れたんですよ。で、何で僕は人間関係のなかでこんなに苦しまなきゃいけないんだ、と思って、小学校六年のときにはじめて自殺しようと思ったんです。

沢木 たとえば、お兄さんはそういうことって考えずに済んだのかな。

尾崎 兄貴はあまり考えなかったんじゃないですかね。で、そのときにいちばんいい思い出があるんです。実は僕、登校拒否になりましてね。ある日学校に行ったんだけど、「僕はここに居られない！」っていって学校を飛び出しちゃったんです。もちろん学校は大騒ぎですよね、先生も家に電話をしたりして。僕が家に電話をしたら母親が、「あんたどこにいるの！」って。結局、秋葉原に居て兄貴が迎えにきてくれたんです。その時に秋葉原から池袋まで神田川沿いに歩きながら、人生について何か話してくれて、ユーミンの「中央フリーウェイ」という曲を教えてくれたんですよ。そのときに本当に……。

沢木 それがユーミンの「中央フリーウェイ」だったというのが面白いね。話を飛ばしちゃうけどさ、斉藤由貴さんとの対談の中に、尾崎さんが新聞配達をしてた時に子猫が出てきて、そこで持ってたパンをあげた、というのがありましたよね。これは僕の職業的な感覚なんだけれど、あそこで僕が何を面白がるかというとね、犬除けのために持っていたパンをあげたというところなの。そこであの話は僕にとってリアリティのあるものになるし、僕は脳の中で完璧にそれを映像化できるというか、納得できる。僕がノンフィクションを書く時のひとつの納得の仕方なんですね。だから今の話も、ユーミンの「中央フリーウェイ」というおよそ何の脈絡もない曲の名前が出てきて、はじめて現実感が生まれるんですね。神田川沿いで、「中央フリーウェイ」か。いいね。

尾崎　でも、兄貴と歌ったのはそれがはじめてだったんです。本当によく覚えてるんだけど、ちょうど武道館のあたりの歩道橋の上で、いきなり歌い始めたんですよね、兄貴が。

沢木　お兄さんも歌うのが好きな人なの？

尾崎　全然、ダメなんですよ。

沢木　僕は男兄弟がいないんでよくわからないんだけれど、デキのいい兄貴がいるわけじゃない？　尾崎さんは、きっとデキは悪くはなかったんだろうけど、お兄さんほどじゃなかったんでしょ。その時、どういうふうに思うの？　お兄さんに対して嫉妬したりはしないの？

尾崎　嫉妬は、しませんでしたね。ちょっと遠回りになっちゃうんだけど、いいですか？

沢木　もちろんいいよ。

尾崎　僕が小学生の頃に兄貴は中学生だったんですけど、兄貴は毎日夜中の一時まで勉強して朝の五時に起きて予習復習してたんですよ。僕の家はすごい狭い都営住宅だったもんで、兄貴が勉強してる脇で僕が寝てたんですね。僕はひとり言をいうのがすごく好きなんですね、昔から。今はじめて明かす真実です(笑)。で、よく兄貴に「うるさい！」とか「もう少し静かにしゃべろ！」とか言われてたんです。僕はそうやって勉強する兄貴を見ながら、中学に入ったら勉強するのが当たり前なんだって思ってたんです。でも、中学に入った頃は偏差値四十くらいしかなくて。僕も悪かったたんですよ、悪い友達も多かったし。友達のせいにしちゃいけませんね(笑)。

沢木　そうだね。でも、悪いところにいるっていうのは快《こころよ》かったの？

尾崎　快いというか……不思議なことなんですけどね、小学校の一年から高校を中退する間際まで、僕はずっと学級委員長だったんですよ。なんでなのかよくわからないんですけど(笑)。悪かったけど、そういう部分もあって。いろんな人とつき合ってみたい、という願望があったんでしょうね。

沢木　そういう願望はちっちゃい時からあったわけ？　あったっていう感じだよね。それはわりと特異な感じだね。

尾崎　これは僕の主観でしかないのかもしれないですけど、たとえば学校にイジメっ子とかいたりするでしょ。でも、彼らも僕に対しては絶対にイジメないんです。多分、空手をやってたからだろうって、勝手に思ってるんですけどね。

沢木　それ以外には考えられない？

尾崎　それ以外では……女の子にもてたというわけではないんですけど、ある意味で人気があった、からかも。

沢木　なんで人気があったの？　性格がいい子だった？(笑)。

尾崎　そんなことは……。僕は小学校六年生まである意味で内向的だったし、中途半端にある程度目立てば、そんなに目立たなくていいんじゃないかなっていうふうに思ってたんですよ。入ってるクラブもマンガ研究会、とかね。

沢木　小学校でマンガ研究会なんてあるの？　僕の時代の感覚からするとちょっと信じがたい(笑)。

尾崎　花形はやっぱりサッカー部とか野球部でしょ。だから、マイナーな路線だったんですよ。マンガが好きだったというのもあるんですけど、子供向けの雑誌の4コママンガなんかに応募すると必ず載るんです。実はオヤジが歌人なんですが、その影響で短歌を始めたときにも、応募すると必ず載るんです。

沢木　へえー、そういう父や兄を持っている尾崎さんにとって、肉親を歌にすることにはテレがあったのかな。いやだったんですか？

尾崎　そんなこともないんですけど……。ウチのオヤジは、ある意味で放任主義だったんですよね。で、兄貴も僕も、オヤジに殴られたことは一度しかないんです。それは僕が急性アルコール中毒で倒れた時で……。

沢木　いつ頃の話？　誰と飲んじゃったわけ？

尾崎　中学三年のときに思い立って勉強一筋に走ったら偏差値が不思議なくらいに上がって、青学に受かったんです。その時に兄貴と兄貴の友達と井の頭公園に花見に行って、一升瓶を一気しましてね、ロックンロールを踊ったんです。五分くらい踊ってバタッて。それで兄貴が運んでくれたんです。で、その時にはじめて……。僕も殴られたらしいんですけど倒れてましたから、覚えてないんです、起きて痛みはありましたけど(笑)。兄貴は吹っ飛んだっていってました。

沢木　そういうような内在してる体験というのは、歌とか物語という形では出てこないものなのかな。

尾崎　それを歌うのは……非常に大切なことなんですよね。

沢木　そうだろうね。

尾崎　いわゆる幼児体験のなかで、僕をつちかってきたもの、形成してきたもの……。

沢木　いくつかの核がありますよね。

尾崎　ええ、いじめられても逃げるな、とか、そういうことを教わってきたことがひとつの核になってるわけですよね。それは本当の歌にするのも難しいんですよね。

自己表現のための水路

沢木　尾崎さんに関するいろいろなものを読むと、常に自分は自己表現をしたかった、という意味のことを話していますよね。

尾崎　自己表現したものが認められることが多かったんですよ。絵を描くと必ず展覧会に出品されたり。自己表現していくことで自分の存在価値みたいなものを自分で見いだしていたところがありますね。

沢木　それはずいぶん支えになった？

尾崎　やっぱり、唯一これだけは自分で自信を持っていいんじゃないかなって思ってましたね。

沢木　今、絵を描いたり小説を書いたりしてますよね。歌を作って発表するというのは、あなたの内部にあるものを出すための水路を作ることであり、聴いてる人たちの内部にある、わけのわからないものに水路をつけて、出口を作ってあげることなんだと思うんですよ。そういうことによって尾崎豊の歌は成立して、ある深いところで人々を救済できる可能性を持つんだと思うんですね。ただ、失礼ないい方になるんだけれど、今書いている小説や絵はあなた自身の水路にはなっているけど、その水路が読み手につながらないものがまだあるんじゃないか、と思うんですよね。

尾崎　それは……。芸術っていうのはモラルですよね。

沢木　うん、とはいえないけれど、少なくとも尾崎さんはそう思っているんですね。

尾崎　芸術という媒体のなかで自分の心を浄化したい、という意味合いなんですけど。僕は絵も写真もそんなにうまいとは思わないし、散文も極めてる、という段階にはなってないと思う。ただ、そういうことを僕がやってるということで、僕の歌を聴いてくれる人たちが、尾崎もやってるんだから俺もやってみよう、という気になるんじゃないか、と。やること自体、悪いことじゃないし。

沢木　全然悪いことじゃないよね。

尾崎　で、作品を発表していくことに目を向けることで人間形成がされていくだろうし、自己が形成されていくだろう、ということを考えて、ある意味では聴き手のためにやっているところがあるんです。

沢木　なぜその話を出したかというと、写真も絵も小説も、尾崎さんのなかではなぜ、何のために、どういうふうな状況で書かれたり撮られているのかなっていうのを一回聞いてみたかったからなんですよね。確かに今ので答えになってるんだけれど、僕は歌だけでは流れ出さないものがあるから他に水路を作ってるんだろうなって理解してるわけです。多分、そうだろうな、と。で、その水路が向こう側につながるかどうかっていうのは、これからすごく厳しく試されるだろうな、と思うんですね。ただ、今、尾崎さんは水路がつながるかどうかっていうよりも、表現する行為を受け手のほうが見ててくれて、それに対して反応してくれればいい、という想いがあるって言ってましたよね。

尾崎　そうですね。

沢木　でも、これから先、尾崎さんは水路をいっぱい作っていくだろうけど、いずれ一本か二本にまとまっていく状況がくるような気がするんです。その時にどういうふうに収斂《しゅうれん》していくのかなーと思うんですよ。

尾崎　僕もどうなるかはわからないんです。けど、僕が発想できるもの全てを表現したいという気持ちが……。

沢木　ただ、どうなんだろうか。すごく難しくて僕も答えが出ないんだけど、ダムでもなんでも、ぐつぐっと水位が高まることがあるじゃない。

尾崎　ええ。

沢木　たとえば、歌に関しては水位が上がるのを待って『誕生』というのを水路に流したわけでしょう。太さがどうか、勢いがどうかわからないけど、かなり水位の高いところから流れ始めたんだよね。そう僕は理解してるんだけどさ。一方、小説や絵で、内部にある、他の水路では流れないものを流してるわけだよね。で、僕のほうを振り返ってみるんだけど、僕はいわゆるノンフィクションを書いてますよね。だけどそれは次第にたまってくる水を解き放つものにはなっていなくて、なにか自分を解き放つ水路を他に求めたいと思っているところがあるんですね。それがなんなのか、もしかしたら歌かもしれないけどさ(笑)、わからないんですね。わからないんだけど、水位が高まっていてもう流さなきゃならない、というものが僕の内部にあるわけです。でも、とりあえず今の僕には水路がない。尾崎さんの場合には、その水路をいくつか用意してある。ないことがよくてあることが悪い、ということでは、全然なくて、その水路というのは、自分の内部で解き放つものがあった時に、あるところまで貯めなければいけないものなのか、いつでもある水路は用意しておいたほうがいいものなのかどうか、よくわからないんですよ。高まった水の量をどう流したらいいか、あるいは、流す道をいつでも用意しておくべきなのかどうか。

尾崎　それは……。もし的を外してたらごめんなさい。今の話を聞いてて思うのは、もちろん水位はどんどん高まっていくんですが、僕はその水路をいつも自分で切り開いてるということなんですよね。で、その水路の矛先をどこに向けていくかも漠然とはわかっているんです。それは非常に抽象的で漠然としてて使い古された言葉かもしれないけれど、人が幸せを願っているという方向に対して水路を向けていきたいと思ってるんです。それが僕の生き方、というか。

沢木　なるほど、それで少しわかるよね。うん、そうか。僕が今いったのは、非常にエゴイスティックな、いわば表現をする人間としての問題の立て方だったんだな。水位が高まるまで待つべきではないか、というニュアンスも含めて、ね。だけど今、尾崎さんがおっしゃったのはそうではないんですね。ひとりの表現者としてどうかということではなくて、やはり「彼ら」とか「あなたたち」というものが視野に入っているんですね。

尾崎　そうですね。これは感受性の問題かもしれないけれど、人間が生きていこうとする生き様っていうのは、幸せになりたい、というところに集約されてると思うんですよ。自分が満たされたい、という思いに。それに対して……。

沢木　ちょっと待って、そういう思いに対して尾崎さんは手助けしたいわけ？

尾崎　そうなんです。僕が幸せになるには他人も幸せでなくてはならない、という気持ちがあるんですよ。他人が不幸だったら、僕は完全な幸せを得られないだろうって。他人もそう思っていればお互いに嚙《か》み合うんですよ。でも、他人を不幸にしても自分は幸せになろうって考える人間がいないとも限らないし、実際僕はそういう人間にも出会ってきたし。

沢木　尾崎さんが他者に対してそういうふうに思ってるのは、とても素晴らしいことだと思う。どうしてかというと、僕も陽水もそこには断念しちゃったんだよね。その諦めの向こうに、やっぱりひとりとひとりの恋文を書くよりしょうがない、と。そういうもので確実な手触りのあるものを作っていかなくちゃしょうがないと僕は思ったし、陽水さんも思ったと思うのね。だからまだ尾崎さんがある希望を持ってやっているのは素晴らしいと思う、仮にどんな裏切られ方をしようとね。それはある人たちから見れば非常に滑稽なことだと思うけど。

尾崎　いわゆる僕の話してきたことは理想ですよね。現実の自分を見てみると自己矛盾みたいなものを感じるけれど、根底としてね。で、本当に最近いい出会いがあって、本当にその人が幸せになってくれれば僕も幸せになれるという関係をひとつだけ僕が見つけることができたっていうかね。それは今までにない体験で……。

沢木　一度もなかったのね。

尾崎　ええ、この資本主義社会における貧富の差を生み出してしまう、そして、差別されてしまうことを受け止めなければならない状況においてね。恋愛においてもそれは介在されてきてしまうもので、しょうがないものなのかもしれないと思っていたところもあったんですけれど、なにかそうじゃないものもあるんだなーっていうふうに、すごく感じてます。

「身の丈」というもの

沢木　あるよね、あるはずだよね。僕はこの夏から秋にかけて、ニューヨークからアトランティックシティっていうところへ行ったんですね。高級リゾート地ではなくて、ミドルですらないくらいの階層の人たちのリゾート地で、カジノがあるんだけど、そこへグレイハウンドバスに乗っていったわけです。スプリングスティーンの歌に「アトランティックシティ」っていうドラマ性のある歌があるんだけど、そのビデオクリップを追体験するような旅をしたあげく、そこでバクチを十日間やり続けたんです。

尾崎 そうなんですか、勝ちましたか？

沢木 勝ちました。僕はこれまでバクチというものとはほとんど無縁だったんですね。ところが去年、マージャンの神様の阿佐田哲也さんが亡くなりましたよね。

尾崎 『麻雀放浪記』の？

沢木 そうそう。その阿佐田さんの追悼の意味を兼ねて、阿佐田さんといつか一緒に行こうねっていってたマカオのカジノに行って、やったことのないバクチをひとりでやったんですね。それは、バカラっていうカードゲームなんだけど。

尾崎 9に近ければいいというヤツ？

沢木 そうです。それをやりながら阿佐田さんは死んじゃったんだな、というのを確認してるうちに、本来の目的を忘れちゃってね、激しく面白くなってしまったんです。で、結局五日間、ほとんど寝ないでやり続けて、四十万円ぐらい勝ったんですね。

尾崎 へえー。

沢木 で、本当に勝ったのかどうか確かめたくて、三カ月後にもう一回マカオに行ってバクチをしたら四十五万円くらい勝ったんです。それでもう一回、マカオだけじゃなくよそのところでもやってみようと思ってアトランティックシティに行ったんですよ。十日間、毎日夕方から夜にかけてやって、五十万円くらい勝ったんですね。

尾崎　勝ち続けたんですね。

沢木　勝ち続けてるんですよ、今のところ。だけど、問題はそこからなんですけど、僕はアトランティックシティに行くにあたって、これはもう無くなってもいい、というお金を百万円くらい用意していったんです。人生のうちではじめてくらいに、バクチをちゃんとやってみようと思ったんですよ。で、結局五十万円くらいしか勝てなかったんですね。それに対して僕は、妙に聞こえるかもしれないけど、敗北感のほうが強いんです。何十時間もバカラだけをやり続けてわかったことのひとつは、バクチって本当に切ないんだけど、自分の身の丈以上は稼げない、ということだった。身の丈っていうのは、捨ててもいいと思って使える金額なんですね。僕は一回に一万円なら賭けられる。でも百万円持ってても百万円は賭けられないわけですよ。一万円取られても、ま、しょうがないかと思う。それが僕の身の丈なんです。

尾崎　なるほど。

沢木　たとえ一億円持っていたとしても一勝負に百万円賭けられるとは限らなくて、僕は依然として、身の丈は一万円なんだと思う。そうするとせいぜい勝てても百万円までで、十億円勝つなんてことはほとんどありえないんですよ。

この「身の丈」っていうのが僕の最近のキーワードのひとつなんです。音楽に関しても、僕の書いてるノンフィクションに関しても、映画に関しても、アメリカやヨーロッパのものに比べて日本のものは、受け手の側にしてみるとちょっとつらくて聴かなかったり読まなかったり観なかったりすることありますよね。でもそれが僕らの、この日本の身の丈なんだよね。身の丈以上のものは作れない。カメラマンなんか典型でね、外国に行けば一応いい写真が撮れますよね。

尾崎　ま、変わったものとか。

沢木　美しいものとかね。だけど、日本で何が撮れるか、という問題になったときにみんな壁にブチ当たるわけでしょ、日本という国の身の丈と自分の身の丈の折り合いをつけなきゃいけないから。異国にスライドしていけばさ、身の丈はその異国分高くなることで済むから簡単なんだよね。

尾崎　それは異国の文化を日本に持ってきたときに身の丈がわかるっていうことですか?

沢木　いや、持ってきても、日本の高さになるとやっぱり低くなるよね。低くなるけどそのなかでどうするかっていう話だよね。たとえばこういうこと。アトランティックシティである日、トランププラザっていうカジノに行ったらバカラのテーブルが貸し切りになっていて、僕は入れなかった。で、外から見ていたらその卓に七十歳くらいの東洋人が座ったんですよ。絵に描いたような頑固ジジイという感じだったから、一瞬日本人かなと思ってカジノのマネージャーに聞いたら、香港から来た大富豪のチャイニーズだって。で、そいつがやり始めたんだけど、彼の前にバッと並んだ二百万ドル分のチップがほんの三分くらいで百万ドルに減ったりしてね。まあ、その後も勝ったり負けたりしながらやってたけど、仮にその老人がどれほどの金持ちでも、その行為は身の丈に合ってないと思ったわけ、僕は。すごく醜かった。何かとても貧しかったし、僕は恥ずかしかった。僕が二百万ドルを持ってやったとしても、それはきっと貧しく見られてしまうような気がしてね。

尾崎　それはある意味で勝ち負けを計算しないというところで?

沢木　仮に勝ち続けても、絶対的な身の丈っていうのがバクチにもあるし、音楽に関してもあるんじゃないかと思うんです。その絶対的な身の丈を高くしない限り、いくらチップを身の回りに集めてもしょうがないというか。どうやったら身の丈が高くなるかわからないし個人的な問題なんだけど、結局、身の丈を高くするよりしょうがないんだっていうところがあるんだよね。

孤立と共生

尾崎 もちろんそうですね。最近の僕のキーワードは「知性と教養」なんですよ。それを高めていくことが人間として生きていくうえでもいちばん大切なことなんだ、と信念として思ってるんです。

沢木 なるほど。僕も半分以上そう思う。教養をどうとらえるかはまた別の話だよね。だけどよくわかるよ。それで？

尾崎 学歴のことじゃないですよね。

沢木 そりゃそうですよ(笑)。

尾崎 ま、そういったものを高めていくということが本当にいちばん大切なことだと思うし、その身の丈を高めていくということがね、非常に難しいことだ、という気もするんです。それはなぜかっていうと、その生活的なレベルでお互いの環境が違うからっていう部分で……。これはすごく面白い話で、もしかしたら面白くないかもしれないけど……。

沢木 ハッハッハッ、どういう話？

尾崎 僕が衛星放送を観ていたときに、お金で結婚するか、愛情で結婚するかっていうアメリカの討論番組をやってたんです。そこにすでに成功した芸術家が出てきて、「僕は知性と教養を高めたいからお金なんかには興味がないし、稼いだお金は寄付してる」っていってね、その場で何枚かのお札をビリビリって破いたんです。その時にスタジオに来ていた一般視聴者のひとりが、「あなたはきちんとした生計が立ってるんじゃないですか。私は生活保護を受けているからあなたみたいなことはできません」みたいなことをいったんです。それを見てて思ったのは、さっきのバクチの話じゃないですけど、いわゆる僕もひとつのバクチをしてるんだっていうことなんです。自分の歌が、その水路が、果たして人の幸せに向かっているかどうかわからないわけですから、僕はすごく浪費をするんですが、それはただ、その水路を切り開いていくためのお金なんです。僕にとってお金は、実はそれほどたいしたものじゃなくて、お金を使うことに対しての価値観も、あまりないんです。お金は知性とか教養に付随するものではないと考えていますから。だから、そのバクチに関していわせてもらうと、果たしてその老人が本当に自分の人生に対してバクチをしているのか、それともただの余暇でしているのか、というところで、その老人に対する僕の見方は違うと思うんです。僕はマテリアルではない、といいつつマテリアルな文化に帰属している人たちのことを見なくては社会というものが見えないと思っているから、居酒屋にも行き、すごく高いフランス料理屋さんにも行く。いろんなことをしてみたいと思ってるんです。そのために浪費してるっていうのは僕の中の知性や教養を高めていく以外の何ものでもない、と僕は信じて行動してるんです。

沢木　知性と教養っていうのは本当に必要だと思う。僕には、知性というのはもともとその人に与えられているものかもしれない、という気もするけれど、教養は絶対に獲得できるものだよね。ひとつのものごとに対して自覚的に動いていたり働いていたりする人には教養は必ずついてくるものだと思うし。それは尾崎さんがいう意味での教養とはちょっと違うんだけど、教養が大切だ、というのは同じ意見だね。ただ、なおかつそういうふうにして身の丈を高くするにはどうしたらいいんだろう、ということなんだけど、それは尾崎さんのさっきの話にグルっとひと回りするのかもしれないね。僕がフラフラと何年か外国をうろついてきて得たひとつの結論は、どこでも生きていけるけど、俺は日本で、東京で生きていこう、ということだったんだよね。ほとんどそれは決めたことなんですね。そうなると、僕の身の丈は日本に規定されるわけですよ。そこで身の丈を高くしようと思うと、僕ひとりでは身の丈は高くならないかもしれない、と思ったりするんですね。すると、さっき尾崎さんがいったように、それは「幸せ」という言葉ではあったけれども、どこかで彼らを救ってあげたいという想いによって彼らの身の丈が高くなることでしか、自分の身の丈を高くすることはできないかもしれない、というところに辿り着くんだよね。

尾崎　身の丈は、他の人がいてこそ思い知らされるものだと思うんですよね。誰しもが身の丈を高くしたいと思ってはいるけれど、今あるイデオロギーの実態のなかでは不可能に近いものがあると思うんですね。とっちらかってしまうかもしれないけれど、僕は国家というものが何かというと、国民を食べさせていくということに尽きると思うんですよ。他人を食べさせていくこと、自分が食べていくこと、それを身の丈と解釈していくことがいちばん近道なんじゃないかっていう気がするんですよ。

沢木　なるほど。今日はもしかしたらずっと同じことをしゃべっているのかもしれない。やっぱりあなたは、ひとりで孤立して生きていくということに対して、秘かなあこがれや執着はあるかもしれないけど、基本的にはノーだって思うわけですね。

尾崎　孤立っていう意味合いがどういう意味合いなのかわからないけど、たとえば、自己の葛藤を常に持ち続けて、自己矛盾と闘いながら自分を浄化させていくという行為を、知性と教養を高めていくということにあてはめていくならば、それは絶対に孤立していくべきだと思うし、いかざるをえないと思う。ただ、孤立したからといっても、やっぱりいろんな人と共同で暮らしているわけですから……。

沢木 それは学級委員長であったことと関係しているのかな(笑)。

尾崎 「中央フリーウェイ」が効いてるのかもしれない(笑)。

沢木 でも、そのとおりだね。そういうふうに考えるっていうのはとても素敵なことだと思う。僕がそれをできるかどうかっていうのはまた別の問題だけどね。

言葉が向こうから流れてくるとき

尾崎 僕は『敗れざる者たち』を読んで、人間には「燃えつきる」という観念が存在すると思ったんですね。それに対してどういうふうな正義を向けていくかが、ひとつの重要な要素になっていくような気がするんです。

沢木 でもどうだろう、「燃えつきたい」と誰もが思ったら、相当つらい世の中になるかもしれないね。どう思う?

尾崎 うーん。ある意味で逆のことをいうようですけど、どんな人を見てもこの社会に呑み込まれてるということを強く感じるんです、僕自身もそうだろうし。うまくいえないんですけど、どんなふうに生きていても、生きてる人たち全てが、究極的にいうと自己愛だけになっていって、その自己愛に燃え尽きようとしてる気がしてならないんです。

沢木　わかりにくいな、もう少し説明して。

尾崎　つまり自分だけを愛せばいい、と思って生きている、ということに尽きるんじゃないか、と。それに対して僕は、非常に淋《さび》しさをおぼえるし、そういうふうに考えていると身の丈は高くならないんじゃないかっていう気がするんですよ。自己愛を持つことで傷つくだろうし、いろんなことを知るだろうけど、そのなかの身の丈まで辿り着く自己愛になっちゃうと、それより上にはいけない気がするんですよ。それより上に行くためにはやっぱり、他者へ、精神を突き抜けたところでの優しさを投げかけてあげなきゃいけない気がするんです。

沢木　わからないけど、その可能性はすごくあるよね、そうやったって身の丈は高くならないかもしれないけど……。少なくとも僕は、ある時それを断念したよね。

尾崎　防衛本能みたいのは絶対にあるし、それなくしてはある種のコミュニケーションは取れないだろう、と僕も思うんです。で、それをいかに受け止めて許してあげるかっていうのも……。大袈裟ですけど、僕が夢見てる世界の平和とかそういったことは、理想論の第一歩でしかないとは思います、現実化されないし……。なにかねー、本当に小さな嘘でも人は傷つくことあるでしょ。それを自分の心を強くして受け止めて、それがその人の生き方であり必要としている糧である、というふうに解釈してあげて、なおかつ自分が与えられるものであり、与えて欲しいと思う人間でありたい、というのが僕の願いなんです。

沢木　それはかなり以前からそういうふうに思っていたの？

尾崎　言葉にするのは今回がはじめてなんですけど。歌い始めることも表現するということも、ある意味で与えてあげる作業でしょ。自分が得をするよりも。だから、本当にあなたは好きなことをやっていていいですね、といわれるけど、逆の性質をもってるところがあるんですよね。それがやっぱりわかってもらいづらいところであり、難しいところですね。

沢木　なるほど。

尾崎　――なんだか今日は、すごく楽しいな。

沢木　大変じゃなかった？

尾崎　全然。若年ながら、非常に横柄ないい方ですけど、ノンフィクションライターの方に僕の生き様というものを見て、判断していただくのもすごく必要なことだと僕には思えていたんで、全てのことを誠実に話せたんで、とても楽しいです。

沢木　そうですか、ありがとう。

尾崎　こんなことをいうのは失礼かもしれませんが、文章を読ませていただくと一行一行、それはもちろん才能ということに尽きるんでしょうけど、その人の心情になっていて、本当にラヴレターを書いているように書かれているところに興味を持ったんですよね。で、最終的にある種の人生の教訓みたいなものを書き得てるということに、すごく存在価値というものを感じたんです。

沢木　ありがとう。以前、ある作家の方との話の中で、「要するに僕は、パルコの前で、『ヘイ、彼女！』ってナンパしている若者と同じようなことをやっているのかもしれない」っていうことになったんだけど、インタビューには本当にそういうところありますよね。それはどういうことかというと、相手に振り向いてもらうために言葉を発しなくてはならない。

尾崎　まさしく！

沢木　彼もしくは彼女にとって、僕という人間が何ものかであれば、水路の話じゃないけど、向こうから言葉は流れてくるんですね。パルコの前の一発勝負と同じなんですが、僕はその一発勝負を結構おもしろがってやるわけですよ。それはさっきの身の丈ということに関わってくるものでもあるんですけどね。僕が身の丈の高い人間であれば、インタビューという行為があったときに、向こうから言葉が流れてくる。

尾崎　そうですよね。

沢木　それともうひとつ、基本的には相手に対して愛情なり友情なり好意があれば、言葉は流れ、お互いに通じると思っているわけです。そうやっていくらかの時間を一緒に生きた結果がノンフィクションならノンフィクション、という形になるわけですね。だから、普通のノンフィクションとかインタビューとは違うと思うんですよ。大袈裟にいえば、一緒に生きることのほうが重要であって、書くことは二の次で。というふうにやってきた、ということかな(笑)。

尾崎　すごく優しい視線を投げかけて、それを僕たちに見せてくれてるんですね。今日は本当にどうもありがとうございました。

みんなあとからついてくる

周防正行
沢木耕太郎

すお　まさゆき　一九五六年、東京都生まれ。映画監督。

周防さんとのこの対談は集英社の女性誌「ＭＯＲＥ」の依頼で行われることになった。同じ頃、同じ会社の出版部から刊行される『インド待ち』のパブリシティーのためのものだということは重々承知の上で引き受けた。一度、周防さんとゆっくり話してみたかったからだ。

編集部の意向では一時間もやってくれれば十分というところだったろうが、話は延々と続き、二時間をはるかに超えてしまった。しかし、写真に比べて文字のスペースが圧倒的に少なかったため、対談をまとめる人はとんでもない苦労をしなくてはならなかっただろうと思われる。

対談が終わったあとで一緒に食事をすることになっていたが、それには夫人の草刈民代さんも参加してくださり、大いに盛り上がった。もっとも、盛り上がったのは酒を飲んでいる私と草刈さんの二人で、酒を飲まない周防さんは二人のおしゃべりをニコニコしながら聞いていてくださっているだけだったということは、翌日になって二日酔い気味の頭で気がついた。

掲載されたのは二〇〇一年の六月号。幸い、速記録が残っていたため、それに従って会話を復元すると、なんと四倍近い量になってしまった。

（沢木）

嘘から始める

沢木　周防さんがインド映画について書いた『インド待ち』という本、読みましたよ。

周防　ありがとうございます。

沢木　読んで何を思ったかというと、この人は書くことがとんでもなく好きなんだということですね（笑）。テレビの取材でインドに行ったのは三週間でしょ。それでよくあれだけの量の文章が書けましたよね。それって、毎日、パソコンで日記を書いていたおかげなのかな。

周防　それは大きいと思います。パソコンを買った時点ではまだそれほどではなかったんですけど、そこにスケジュール管理のソフトを入れた瞬間から、気づいたらスケジュール表が日記帳になっていたんです。例えば「きょう、四時から沢木さんと会う」と書くじゃないですか。家に帰ると、そこに「沢木さんと会って、こんな話をした」と書きます。予定としてあったことが、過去の事実にかわるわけです。

沢木　そのスペースには何行ぐらい書き込めるの？

周防　いくらでも。

沢木　そうか、日記帳のようにスペースが限定されているわけじゃないんだね。

周防　僕はそのソフトと出合うまで、日記を書こうと思ったことはあるけれども、いつも途中で挫折して続いたことがなかったんです。でも、あのソフトのおかげで、この六年ぐらい、毎日、何時に起きて何を食べたかが、全部わかっちゃう。

沢木　ほんとに詳しいもんな。
周防　パソコンの日記とビデオのおかげというか、そのせいというか、それがあったんで書かざるをえなくなっちゃったというところがあります。
沢木　周防さんは、日常的にビデオを撮っているの？
周防　外国へ行ったときだけです。
沢木　本を書くときに参考になった？
周防　参考に見ますよ。けれども、僕にとって重要なのは映像より、そこに残っている音声なんです。何でもいいから撮りながらしゃべっておくと、その言葉を聞いた瞬間に、そのときの匂いとか、いろいろなことを思い出せる。
沢木　そういうことはあるだろうな。
周防　だけど、例えば博物館で、撮影禁止とか出ていると、嬉しいんですよ。
沢木　どうして？
周防　ホッとするんです。撮らなくてすむから。
沢木　ハッハッハッ。
周防　ビデオがあるから撮っちゃう。要するに道具に使われてしまうんですね。文章を書くようになったのも、ワープロがあったから。ワープロがなかったら、僕、『インド待ち』も書いてないし、『シコふんじゃった。』の小説を書くなんてこともなかっただろうし。道具のおかげで、どんどん不自由になっていく。
沢木　なるほど、そうなんだ。

周防　沢木さんの『深夜特急』には、これでまたひとつ自由になれたというフレーズがよく出てくるじゃないですか。僕は、逆に、これでまたひとつ不自由になった、という生活を続けてるんです(笑)。

沢木　僕は、『インド待ち』を読んで、村上春樹がシドニー・オリンピックについて書いた『Sydney!』に似ているな、と思った。

周防　えっ、そうなんですか。

沢木　村上さんも、毎日、きちんと書いていたみたいで、「朝六時前に起床」とか「今日は疲れた」とか、『インド待ち』とほとんど同じ感じがする。きっと村上さんも周防さんも几帳面な人で、一日の終わりにきちっとその日一日のことを書いているのだろうなと思ってね。そういうところがよく似ていた。ところが、文章のタッチは村上さんとはちょっと違っていて、ナンシー関と似ているんだよね(笑)。ナンシー関の文体で村上春樹的な書き方をしたら、こういう文章になるんだなと思ってずっと読んでた。

周防　僕、ナンシー関さんも好きですよ(笑)。

沢木　あの『インド待ち』の面白いところはもうひとつあって、あれを読むと、テレビ番組と実際の取材の時間的なズレがわかって、編集の手口のようなものがはっきりわかるんですね。取材では最初のところだったものが番組では一番最後だったりとかする。

周防　例えば、僕がその番組の監督をしていたら、微に入り細に入り、もっと量が増えたと思うんだけど、僕は今回、完璧に出演者であろうと思って、ディレクターのやりたいようにやってもらった。自分の感じたことは、あとで紙に書けばいいと思ったんです。

沢木　なるほど。

周防　沢木さんもずっとフィクションとノンフィクションの境界線上にいる方だからわかると思うんですけど、僕は、以前、テレビマンユニオンで、伊丹十三さんの『マルサの女』のメーキング映像を作ったことがあるんです。その編集を深夜ひとりでやっているとき、テレビマンユニオンでドキュメンタリーを作っている人がやって来て、いかに映画はつまらなくてドキュメンタリーがすごいかという話をするんですね。

沢木　周防さんを目の前にして、それはすごいね(笑)。

周防　そのとき、「映画みたいな、嘘ばっかりのもの」というフレーズを投げかけられたことが強い印象として残っているんです。確かに、ドキュメンタリーというのは事実の積み重ねだけど、事実の積み重ねが真実を伝えるとは限らないでしょう。映画は断片がぜんぶ嘘ですよね。偶然、こっちが意図しないことが映ってしまうことがあっても、少なくとも一カット、一カットが全部作りごとです。だけど、それがつながったときには、ある真実を伝えるかもしれないじゃないですか。僕はそっちのほうが気が楽です。

沢木　気が楽、という感じなのね。

周防　うん、気が楽なの。要するに、ドキュメンタリーだと、見せた瞬間に、お客さんは、それは事実だとか、真実だとかあんまり考えずに「本当のこと」と思うわけじゃないですか。でも、その「本当のこと」の積み重ねが、とんでもない嘘を伝えてしまうこともあると思うんです。

沢木　そうですね。ただこういうことはあるかもしれない。さっき周防さんが「仮に作られたものであっても、それを積み重ねていって、そこに何か到達する真実がある」というようなことを言っていたけれども、実は僕はその「真実」という言葉は、あまり使わないほうがいいかなと感じているんです。事実を積み重ねていって真実に到達するという言い方は僕はしないし、事実を積み重ねて何になるかというと、ただ事実があるだけというぐらいの感じです。ただ、いま周防さんがおっしゃった、その作りものを積み重ねて何か到達するものがあるとすると、それは真実ということではなくて、それこそ『インド待ち』に出てきたけれども、「魂」とかいう言葉で表現される何かだと言うほうが、格好がいいような気がするけれど。

周防　ただ、これもほんとに、偉そうな言い方になっちゃうんだけど、僕らがドキュメンタリーを観るときには、作り物だというふうに思って観ている。だけど、例えば映画のキャッチコピーで、「これはほんとうにあった話です」と言ってしまうと、そういうものが力を持ってしまうというのも事実じゃないですか。なので、これは嘘ですよ、というところから僕は始めたいと思うんです。

沢木　嘘から始めるというのは、実はすごく難しいことなんですよね。例えば、「エアインディア便で、どこそこに行きました」というとき、フィクションだったら、まずその飛行機を信じてもらわなければならない。乗っていることを信じてもらって、着いたところがカルカッタだったりボンベイだったりするのを信じてもらわなければならない。そのために詳細な手続きをしていくわけじゃないですか。でも、ノンフィクションとかドキュメンタリーでは、ボンベイに行ったと一行書くか、着いた空港をポンと映したらオーケーなんです。だから、ドキュメンタリーやノンフィクションはフィクションに比べてものすごく楽な部分があると、僕は言い続けているんです。

周防　ほんとに嘘を信じてもらうのは難しい。だから映画を作るのは面白いんです。観ているときに、人は完全にその世界に入り切ることができる。自分も、そうやって映画を楽しんできました。ある瞬間、大嘘に心を動かされてしまうことがあるわけです。

捨てる理由

沢木 あの『インド待ち』、原稿用紙にして何枚分ぐらいあったんですか。

周防 何枚なんでしょうね。千枚いくかなと思っていたんですけれども。

沢木 それを少し少なくした?

周防 少しじゃなくて、すごく少なくして(笑)。

沢木 すごく少なくしても、あれだけあったのか。

周防 すみません(笑)。僕、書いたものを捨てられないんです。

沢木 それは僕も身に覚えがあるけど、じゃあ映画の場合はどうするの?

周防 これが、捨てられるんですね。

沢木 捨てられるんですか。

周防 はい、捨てられるんです、なぜか映画だけは。

沢木 へえ、面白いね。

周防 『Shall we ダンス?』は、長すぎると言う人はいたんだけれども、僕にとっては、これはもうこれでいいと決めたので、譲らなかったんです。でも、切って面白くなるのなら、僕、いくらでも切れます。だけど、その場合、どこを切るのかという具体的なアイデアは欲しい。

沢木 要するに何となく長いと言われても困るんだよね。

周防　退屈な時間が長過ぎるから切りましょうと言うなら、すみませんと言って切るしかないけれども、とりあえず、もう僕にはこれ以上、切るところが考えられないならば、それで出す。

沢木　『Ｓｈａｌｌ　ｗｅ　ダンス？』は思い出しても、ここを切ったらというふうに言えるような場所はない気がするな。

周防　でも、この映画をアメリカへ持っていったときは、具体的に、事細かに、どこそこを切ろうと言ってきた。それじゃあ、しょうがない、アメリカ人はそう考えるのかと思って受け入れた。僕はあの映画をアメリカで再編集することに対して、嫌悪感とかはなかったんです。逆に、どんなことを言って、どんなふうに作り変えようとするのかを、見てみたかったんです。そっちの好奇心のほうが強くて、全部つき合った。怒りながらも、いや、ここは、アメリカ人の言うことをきいてみようと。そうして、一生懸命、直していったら、あるとき、しらっと、「ここはあったほうが面白いですよね」なんて言うんですよ。じゃあ、今までやってきた削る作業の根拠は何だったんだって……。

沢木　言いたくなるよな。

周防　でも、そういうことが、すべて面白かった。だからアメリカで売るために、自分の作品をずたずたにしたという意識はまったくありませんでしたね。だって、日本で自分がベストだと思うものを作っちゃったから、アメリカでは別のものを楽しもうという覚悟があったんです。今、思えば。やっているときは頭に来ることもいっぱいあったけれども、本に書いてすっきりしたっていう感じです。

沢木　なるほど。たしかインドでは『Ｓｈａｌｌ　ｗｅ　ダンス？』を、三回上映したんだよね。三回目のときには、インドの女優さんが来てくれたりして、わりと和気あいあいとなっている雰囲気だけど、ほんとうのところ、インドでは何か受け方が違うという感じはあった?

周防 ありました。日本の試写会でも、一回一回、どんな人が観るかによって雰囲気が違ったりすることもあるんですが、特にインドの場合、どういうお客さんなのかわからなかったんです。最初は、フィルム・アーカイヴで上映したので、関係者試写会に近い雰囲気だったんじゃないかな。なんとなく自分たちの感情を表すのを抑制していました。

沢木 ということは、要するに三回目が一番素直な感じだったの?

周防 素直でしたね。小さな撮影所の古ぼけた試写室で上映したんですが、全部、椅子が埋まったし。

沢木 やっぱり狭いところで、ぎっしりのほうがいいよね。

周防 ですよね。

沢木 どういう点が他と違っていたんですか。

周防 大ざっぱに言うと、それまでは下ネタ系が受けなかった。でも、三回目の試写で受けていたので、インド人は下ネタ嫌いというふうに決めつけてはいけないと思った。最初二回の試写会はやっぱり日本とか、アメリカ、イギリスとも違って……。

沢木 竹中直人が「アッ、ハン」なんていうところは受けないわけね。

周防 受けないわけですよ。あと、役所さんと竹中さんが抱き合っているトイレのシーン、どこへ行ったって受けていたシーンなのに、笑ってくれないとか。でも、三回目はそうでもなかったので、どういうことなのか、理由はちょっとわからないです。

沢木 状況によってはいろいろ変わるという、単純なことなのかもしれないですね。

周防 最初は、日本から立派な監督が来て、立派な作品をやりますと聞かされていたから、その心構えと実際があまりにも違いすぎていたのかもしれない(笑)。

沢木　周防さんは、インド映画は、あまり観てないんだよね。

周防　観てないですよ。

沢木　もしかしたら、インド映画は僕のほうがいっぱい観ているかもしれないな。

周防　『深夜特急』の旅でも観てますよね。

沢木　最初に観たのは『ボビー』という作品で、これが面白かった。インド映画のどこがいいかっていうと、ストーリーがすぐわかるじゃないですか。大体、当たり前のストーリーで、ラブロマンスで、引き裂かれて、一緒になるという、そのパターンを必ず踏襲するから、まず、字幕が読めなくてもわかる。だけど、どこかの国で、へとへとになっているときに映画館に入ろうとしても、ヨーロッパの映画はよくわからないもんだから観られないんですよ。

周防　ベルイマンなんか観ちゃった日には、えらい騒ぎでしょうね(笑)。

沢木　フランスだとアラン・ドロンの出ているギャング映画のようなものだって、フランス語がわからなければやっぱり観ていてわからないんですよ。でも、インド映画は絶対に誤解をすることがなく、しかも三時間も四時間も楽しめる。その上、あの踊りが、実際に性的に抑圧されている人間、例えば旅先で何カ月も旅して性的に抑圧されている人間にとってはね、すごいセクシュアルなんですよ。

周防　へえ。

沢木　あのインドの女の子たちが出てきて踊りを踊って、あの目つきでこちらを見るというだけで、ものすごく性的なんですよ。それを見るのが楽しみのうちの半分ぐらいはあるな。だから、旅先ではね、当然、東南アジアから北アフリカまで、どこに行ってもインド映画はやっている。もし映画館が二館あれば、一館はインド映画館です。そして、夜になって、それこそ人恋しくなって、寂しくなったりすると、インド映画を見るわけですよ。例えばポルノ映画の性行為の場面が映っているものより、あのわけのわからない不思議な踊りで、あの官能的とも言える、何かろくでもない踊りが、やっぱり、いいんです。

周防　へえ、そうか。

沢木　さっきの『ボビー』という映画はベンガル語で、キリスト教徒とヒンドゥー教徒の宗教的な違いを描いていた。宗教が違うということはカーストも違うということですから、身分の違いと宗教の違いで引き裂かれるけれども、最後は結ばれるという話だった。

ただ、最近、インド映画も変わってきて、周防さんの本にもちょっと書かれていたけれども、『ボンベイ』というマサラ映画は画期的なものだったんですよね。普通は引き裂かれて、結婚して、あるいは結ばれて終わりになるんだけれども、そこから映画が始まったという珍しい作品だった。そして、激動の宗教対決の中に巻き込まれて、夫婦が引き裂かれ、家族も引き裂かれるというストーリーだったんですね。そんな映画がヒットしたので、インドではかなり話題になったと聞いています。

周防　それでも歌と踊りが入るでしょう。

沢木　もちろん。

周防　今回は通訳の人との問題もあったので、いまひとつ最後までわからなかったところもあるんですけど、彼らは歌と踊りのあるインド映画をリアルだと言うんですね。こんな世界はほんとうにないけれども、それを望む、その気持ちがリアルなんだということなのかなと思って、無理やり納得しようとしていたんだけど……。

沢木　周防さんの本を読んでも、テレビの番組を観ても、僕もそれをどう理解したらいいのかよくわからなかった。リアルだと言っていることは、すごくリアルな感じがしたけど、そのリアルって何なのかということについては、最後までわからなかったな。でも、あの歌と踊りがなければ、リアルじゃないんだというのは、ほんとうなんだと思う。

例えばサタジット・レイの映画を何人のインド人が観るのだろうかと思う。また、イランのアッバス・キアロスタミは『友だちのうちはどこ？』のような初期のころの映画はすごく面白かったけれども、最近の作品はそう思えない。普通のイランの人たちがちゃんと観ているのだろうかと考える。あるいは台湾のホウ・シャオシェンの『悲情城市』を台湾の多くの人が見るかなと思うんですよね。

でも、なぜそれらが海外で評判になるかというと、字幕だからだと思う。言葉がわかれば、その俳優がどれくらいうまいか下手かがはっきりわかる。けれど、外国人は字幕でからしかわからない。字幕では字数の制限があるからどうしても言葉が抽象的で詩的になっていく。だから、その俳優に存在感さえあれば、いい作品になってしまうというところがあるように思うんです。

周防　僕の映画が外国に行ったとき、いろいろな評価の声が聞こえてくるんだけど、良く誤解されるか、悪く誤解されるか、どっちかに転ぶしかないと思った。

沢木　だから、外国で勝負するんだったら、いい誤解をしてもらうための戦略を考えるということですよね。

周防　そうなんですよ。ほんとうにそう思うんですよ。

沢木　自説に固執すれば、テレビの番組でボクサーのジョージ・フォアマンにインタビューをしたとき、字幕を自分で訳してみたことがあります。字幕の字数は限られていますよね。何秒間に何字とかって決まっているじゃないですか。そのために、彼のしゃべっていることをまず訳した上で、それを五分の一ぐらいに圧縮するわけですよ。そうすると、それは必然的に詩にならざるを得ない。

周防　なるほど。

小津安二郎の墓

沢木　かなり前のことになりますけど、亡くなった映画評論家の淀川長治さんと対談したことがあったんですね。そのとき淀川さんが「あんたの文章は、小さいころ映画がほんとうに好きだったという時期を過ごしてきた人の書いたものだ」というような意味のことを言ってくれた。それはすごいほめ言葉だと思って嬉しくなりました。映画を作ったり、映画について書いたりする人の中で、何だかわからないけれども面白いと思った子供の時期に映画に淫《いん》したことがある人か、ちょっと自覚ができてから学ぶように観るようになった人かというのは決定的に違うと思うんですよね。周防さんも子供の頃、映画が面白いと思った時期がきっとあるんだろうなと理解していたんだけど。

周防　その二分法は誰にでも適用されるんでしょうかね。僕は、別に映画少年ではなかったんです。だけど、怪獣映画と若大将シリーズと、あと中学生ぐらいになると関根恵子さんが出てきたシリーズは欠かさなかった。

沢木　大映だったかな。

周防　そうですね。あとはテレビで淀川さんが解説をされていた日曜洋画劇場を必ず観るとか、その程度なんだけど。それでも、僕は『怪獣大戦争』を観たあとで家に帰って泣いていたのをよく覚えている。何で泣いたかというと、いま観てしまったから、また次にゴジラをいつ観られるかわからないから。そういう意味で非常に素朴で、夢にゴジラが何度も出てきて何度も逃げたという経験もしているんです。

沢木　周防さんは、映画を観たあとで、もうこれが観られないからと泣く子だったんですね。

周防　ええ。

沢木　『ゴジラ』の監督も、もって瞑《めい》すべし、ですね。

周防　僕は野球が大好きだったんですけど、中学三年でやめてしまって、次に何をしたらいいのかわからなくなってしまった。どうしたらいいのかと思って、そこから猛烈に本を読みはじめた。そして、人生の何かを探したいという感じで映画を観はじめたんです。

沢木　だから、さっきの二分法ではなくて、両方の要素を持っているということなのかな。

周防　ええ。

沢木　僕にとって、周防さんとは、映画青年っぽいようなことをやることに対する羞恥心《しゅうちしん》があって、観客は楽しみに来ているんだからとりあえず楽しませよう、その手管を錬磨していこう、いい役者に面白いことをやってもらおう、と思い決めている人というイメージだった。ところが、今回、お会いするというんで、周防さんがピンク映画として撮った『変態家族　兄貴の嫁さん』というデビュー作を観て、印象が変わったんです。本気でピンク映画を観たいと思って映画館に来た男の子は、あれを観たら怒るんじゃないかと思った(笑)。

周防 怒りますよ、ほんとに。でも、あの映画は僕の中では明らかに違うんですよ。今はもう観ることはできないし、嫌だし、恥ずかしい(笑)。

沢木 最も作家的な作品だよね。

周防 作家的とは思わないですけど。

沢木 個人的な?

周防 そうです、個人的な作品です。だれのことも考えていないです。自分のことしか考えてない。

沢木 そうでしょうね。

周防 観る人のことを考えたら、あんな恥ずかしいことはできないです。ピンク映画の助監督をこれだけ一生懸命にやってきたんだから一本ぐらい何をしたっていいだろうという開き直りと、何を撮っていいか実はわからなかった、ということがあったんです。助監督になったときにはいろんなことを考えていたはずなのに、五年ぐらい助監督をやったあと、ようやく撮れるとなったとき、自分は何が撮りたいのかがまったくわからなくなってしまった。そのとき、とりあえず一番自分の好きなものは何だろうと考えたら小津安二郎だったので、彼の映画を撮ろうという、極めて素直なスタートだった。

沢木 パロディでも何でもないと、いろいろな機会におっしゃってるけれど、実に、はた迷惑な作品だと、僕は思ってる(笑)。

周防 失礼しました。申しわけない(笑)。

沢木 僕はピンク映画館で観たんじゃないんで、謝ってもらう筋合いはないんですけどね(笑)。

周防　配給会社は、この作品はまずいんじゃないかと思ったらしいんですけど、とにかく新宿で一館だけ開けて様子を見ようということになった。そうしたら映画館主が、いつもと違う客が入っていると(笑)。要するに、大学生ぐらいのアベックで来ている人もいると。それで救われたんです。映画館主、興行の側からやってもいいんじゃないかと言ってくれた。その後は、「話の特集」の「シネマの記憶装置」という欄で、蓮實重彦さんが紹介してくれていたので、学生だけではなくて、業界の人が観にきてくれるようになった。その後の仕事は、ほとんどあれを観た人が声をかけてくれることで成り立っていました。

沢木　そこは、すごく面白いところなんだよね。そんなにほめられるべき作品かどうかというと、失礼ながら僕にはそれほどだとは思えないけど、やっぱり何かをやろうとしている意志が伝わったということなのかな。

周防　何なんでしょう。ただ、今はもう恥ずかしくて観られないんですけど、貴重な体験をした映画だったし、もしかして、ああ、あんなことをもう一回やってみたいと思いながら死んでいくんじゃないかというぐらい一生懸命だった。映画を作っていてあんなに楽しかった経験はないですね。ほんとに毎日、朝起きて、青空を見ると、うわあ、今日も僕のために晴れていると、ほんとに信じられた(笑)。

沢木　すごいね。

周防　ものすごいですよね。ほとんど眠りもしないで撮っていた。以前、上野にＳＭの写真を撮るところで有名な山本旅館というのがあったんですけど、ほんとに傾いでいて、そのうえ廊下はＳＭ撮影で使った蠟《ろう》が垂れているもんですからピカピカ、テラテラしていて、みんな転ぶんです。

沢木　おかしいね。

周防　撮影して徹夜になると、「監督、ちょっとは寝てください」というので二、三時間寝たりする。でも、ほんとに湿った、もう干したことがないような、すごく冷たい布団なの。それで寝ていても、明日どうやって撮ろうかとか考えてワクワクしていた。

沢木　撮った季節は何月ごろだったの？

周防　五月ですね。

沢木　じゃあ、春の青空だったりするんだね。

周防　そうです。ピンク映画って、フィルムを普通四百フィート巻で二十本ぐらい使う。一本三分半ぐらいしか使えないので、一時間ぐらいの長さで上げるわけです。でも僕は、もっと回しちゃって、フィルムがなくなりそうになった。すると知り合いのコマーシャルのカメラマンが、彼の会社に夜のうちに来れば、黙って期限の危ういフィルムは持っていっていいよと言ってくれたので、夜、みんなで行って持って来た。端尺ですよね。コマーシャルを撮った残りのフィルムがいっぱいあって、それを使った。でも、ピンク映画でも一応、色のトーンはそろえなきゃいけないから、もらったフィルムは実景というか、屋外の撮影に使いましょうということになった。それで青空とか桜とかを撮っていた。

沢木　古いフィルムでも問題なく撮れるの？

周防　それが少しかぶっていて、つまり少し感光していて、霞《かすみ》がかかったように映っちゃったんです（笑）。

沢木　そう言えば、そういうシーンを観たような気がするな。

周防　春霞がかかったような画が、またいいという感じで(笑)。

沢木　そうだよね、何か意味ありげなんだよね。

周防　そうそう、それで結局、予算は二百八十万円だったのに、三十万円ぐらい現像代の赤字が出ちゃった。ピンク映画って、三百万円ポンと渡して、これで作りなさいというものなんですね。いくらかでもお金を残したらそれがあなたのギャラだし、残らなかったらギャラはなしとなっている。それで、赤字分については、いろいろ相談して、僕に三十万円払えというのは無理だろうから、現像場と配給会社と僕で三等分して払うということになったんです。

沢木　それだってすごいことですよね。

周防　一応、契約上は僕がかぶらなきゃいけないのに、なぜか現像場まで二十万円も負担してくれた(笑)。

沢木　それで、ピンク映画界とはちょっと違う世界で評判になったことを、みんなが喜んでくれたという感じだったわけですね。

周防　そうです。

沢木　でも、結局ピンク映画はそれ一本しか作らなかったんだ。

周防　そうなんです。ピンク映画を干されたというような言い方をする人もいたんですけど、そうじゃなくて、自主的判断で、こんな迷惑なことを次もやってはいけないだろうと思った。じゃあ、迷惑じゃない王道を行くピンク映画が自分で撮れるのか、予算内におさめ、しかもみんなに喜んでもらえるものが撮れるのかと考えたんですが、できないと思った。できないから、もう次は撮れないなと思っていたところに、あの映画を観て声をかけてくれる人たちがいて、テレビドラマの仕事が来たり、カラオケビデオを作ったりしていました。

沢木　ピンク映画館に真面目に来る若者にとってはいい決断だった(笑)。

周防　あと、あの一本で、一応、助監督じゃなくて監督となったから、そこで一つ決めたのは、二度と助監督の仕事はしないということ。

沢木　それはどうして？

周防　監督になってから、また助監督をやると、やっぱり助監督なんだと思われて誰も監督扱いしてくれないだろうと。次の映画を監督したいんだったら、助監督に戻ってはだめだと決めたんです。一般の大きな映画の助監督の話も来たんですけど、それよりはカラオケビデオの監督だと思ったんですよ。

沢木　それは正しい判断でしたね。そういうある種の頑張りというか痩せ我慢をしないと、どんな世界でも何かに到達することはできないかもしれないというところがあるよね。

周防　僕は自分に才能があるとしたら、ある瞬間に鈍感になれるというか、図々しくなれることだと思う。ある映画雑誌には「ピンク映画で小津安二郎をやって批評家受けをねらう姿勢が許せない」と書かれた。でも普通に考えれば小津安二郎をピンク映画でやったら、怒られはしても決してほめられることはないって思うでしょ。

沢木　まあ誹謗中傷はあるだろうけどな。

周防　でも、そんなことを全く考えずに、僕が好きなんだから、思いっきり小津安二郎しましょうと思った。だから、僕は、毎回、仕事をやるたびに小津さんのお墓に行って「ごめんなさい」と謝ってから仕事に入っている。いまだに謝っている(笑)。

沢木　ほんと、それ？

周防　ほんとです。この映画をやろうと決めたら、まず報告しにいって、「すみません。またやりますけど」と。でも、これよく言うんだけど、ほんとに小津さん死んでいてよかったと(笑)。生きていたら、まずあんな映画は作っていないでしょう。

沢木　絶対に作ってないよ。そういえば、この間、ちょっと必要があって『東京物語』を観ていたんだけど、ああいう感じのものを作ってみたいというふうには思わなかった？　例えば『ハリーとトント』という映画がありましたよね？

周防　ありましたね。

沢木　あれも一種の『東京物語』ですよね。そういうふうに考えていくと、『東京物語』を現代的に考えて、『舞踏会の手帖』みたいに、ホワッとした感じで作るというふうにイメージしたっていいわけでしょう。今の段階で、ああいうのを、もう一回作ろうという願望は全然ないの？

周防　うん。僕、どんどん離れていっている。振り返ってなんですけど、一本目であれぐらい、自分としては過激に小津安二郎を勉強して、何だかわけのわからないものを作ってしまったおかげで、何か憑《つ》き物が落ちたんじゃないか、と。言いわけとしては、あれを作ることで何かそういう病から、どんどん健全な私に戻りつつあるんじゃないかと。

ちょっといい話

沢木　この間、周防さんについての記事を読んでいたんだけど、新丸子に住んでいたの？

周防 元住吉に住んでいたんです。

沢木 新丸子には映画を観にいっていたの？

周防 ええ、あそこには映画館が二軒あったんです。

沢木 僕の周防さんに対するイメージというのは、何となく子供のころ、二番館だか三番館だかに行って二本立てか三本立てを観ていた。そして勉強もあんまりしない。だから芸術映画風の、アート風の映画というものに対して若干アレルギーというか、そういうのはちょっと嫌だというか、恥ずかしいという感じがあるのかなと思っていた。でも、『兄貴の嫁さん』を観て、あれっという感じがあったんだ。周防さんがさっきおっしゃった「健全な」というのは、もし映画の好みで言えば、いま、撮っている世界が好きなのかな？

周防 いや、いまはもうあえて娯楽映画とか芸術映画という言い方をしちゃいますけど、実は僕、あんまり関係なく楽しんでいるほうです。

沢木 なるほど、映画を観る側として？

周防 そう。好きなジャンルなし。面白ければオーケー。傾向としては、きちんと作っているのが好きです。でも、映画って、自分で作り始めてわかったけど、一生懸命やろうと思っても、きちんといかないことがいっぱい出てくる。だけど、きちんといかないことがいっぱいある中から、ものすごく面白いことも生まれちゃうものなのだというのを経験してきている。いまはだから逆に、もっともっと何でも面白いと思えたらいいなと。

自分でも、別に王道の娯楽映画を作ろうと思っているわけではなくて、自分が面白いというのが最初にある。その後に、僕が感じたこの面白さを伝えなければいけない、それはどうやったらできるのだろうか、と、いろいろな方法を考える。

沢木　映画について考えると、一番最初に周防さんがおっしゃった、きちんと作られているというのが僕にとっては、今、決定的なんです。こいつがこんなことを言うはずないじゃないかという台詞や、この設定でこいつがこんなことをするわけない、というような映画がゴロゴロしているじゃないですか。僕の場合、映画を観ていて、こいつはこんなこと言わないよなという台詞を一言ぐらい言われると、もう嫌になっちゃうのね。

周防　うわあ、怖いね(笑)。怖い映画ファンだな。

沢木　だけど、みんなそうだと思うよ。

周防　まあね、そうでしょう。お客さんは残酷で、僕だって、そういう瞬間はありますけどね。

沢木　ただ、周防さんの映画では、頓狂《とんきょう》なやつは出てくるけど、こいつがこんなことするわけないよな、ということは出てこないと思う。

周防　そうですか、それはすごいほめ言葉でうれしいですよ。

沢木　ほんとにそう思う。

周防　すごい気が楽(笑)。

沢木　どの映画もそういうふうには思わなかった。言い方を換えると、一カ所もザラッとしたところがなかった。

周防　最初から何か嘘っぽい話だから。

沢木　だけど、例えば竹中さんの役では常に、これは言えないよなということがないんですよ。ああいう与えられた役の中では、ああいうふうに振る舞うことに全然異論、違和感がないわけですよ。

周防　それは、すごくうれしいですよ。僕は映画ファンとしてずっと映画を観ていて思ったのは、その映画の中でやっぱりリアリティは持ってほしいし、それしか求めないわけですよ。だから、何の映画でもオーケーというのは、その映画の中でその人がほんとうに生きていれば、別に現実にいようと、いまいと関係ないということ。映画の世界に住む人がきちんとそこに生きていてくれれば、面白いと思う。

沢木　そう。その世界でちゃんとした振る舞いをしてくれればいいわけですよね。

周防　そうなんです。

沢木　そういうふうに言うと、応対に困るだろうけれど。これはないよなと思うことが日本の映画には比較的多くて、困ったなと思ったことはない？

周防　あります。日本映画も面白いですと言っても虚しくなりますよね。

沢木　この間、テレビでアカデミー賞の授賞式を中継していて、そこで三人が鼎談《ていだん》をしているときに、ある映画評論家が、シンプルに「やっぱり日本の最近の映画は成熟していないですね」と言っていた。僕もそうだと思う。目線、視線というか、年齢的に低過ぎるものが多いと思う。

僕の義理の母も映画が好きな人で、しょっちゅう映画を観にいくんです。あるとき僕が『ブエナ・ビスタ・ソシアル・クラブ』が面白いですよと言ったので、観にいったらしいのね。朝の一回目にシニア料金で入ったら、お客さん四人しかいなくて、しかもみんな自分と同じぐらいのおばあさん。そうしたらその一人が、「みんなこんなに離れてばらばらで観ていても淋しいから、一緒に並んで観ませんか」と言ったんだって。

周防　いい話だな。

沢木　そしておばあさんが四人並んで、『ブエナ・ビスタ』を観て、「すごくよかった」と言って出てきたそうです。こういうおばあさんたちが「ああ、よかったわね」と思うような日本映画が、今、上映している中であるかといったら疑問ですよね。

周防　ちょっとずれちゃうんですけど、それで思い出したのは、『Ｓｈａｌｌ　ｗｅ　ダンス?』をロスの上映館で観たときのことなんです。昼間は安いので、お年寄りの観客が多いんです。そうしたら、あるおばあさんが途中で席を立って出ていったので、ものすごく気になった。後を追いかけて「つまらなかったですか」と聞いてみたら、「いや、駐車場に車をとめているんだけれども、ちょっと車が心配になったから。また明日、続きを観るから」と(笑)。

沢木　ハッハッハッ。それもいい話だね。『Ｓｈａｌｌ　ｗｅ　ダンス?』を上映しているときに、僕はちょうど『オリンピア』という本の取材をしていたんですね。ベルリンオリンピックのときに飛び込みに出ていらっしゃった大沢礼子さんというおばあさんがいて、その方はベルリンオリンピックでメダルが取れるかもしれないと言われていたけれども、四位に終わった。それは採点競技の不遇さで、主催国のドイツの選手に甘い点が入って三位になれなかった。

そのお宅にうかがったときに、「きのう、『Ｓｈａｌｌ　ｗｅ　ダンス?』を観てきた」というので、「どうでしたか」と聞いたら「うん、面白かったから、もう一回、行ってみよう。私たち、チケット代が安いでしょう。もう一回、観ても二千円でしょう」とか言っていた。七十いくつぐらいのおばあさんでも、面白い、という『Ｓｈａｌｌ　ｗｅ　ダンス?』はすごいな、とそのときも思いました。

周防　『シコふんじゃった。』までは、「一部で熱狂的なファンを持つカルト系の作家」と書かれていて、『Ｓｈａｌｌ　ｗｅ　ダンス？』を撮ったら、いきなり「中高年のアイドル」となって（笑）。

沢木　この次はお年寄りか赤ちゃんかな。

周防　子供は『シコふんじゃった。』を喜びますよ。

沢木　ぶしつけというか、失礼に当たるんだけど、映画のできとしては、『ファンシイダンス』を含めた三本の中で『シコふんじゃった。』が一番いいと思う。

周防　そうですか。

沢木　『シコふんじゃった。』は、とどまるところがない。躊躇《ちゅうちょ》するというか、停止するところがない。『Ｓｈａｌｌ　ｗｅ　ダンス？』は、とまるところがあるじゃない？　そのとまるところがいいという人もいるだろうけれども、『シコふんじゃった。』が子供たちが観ていても面白いというのは、一直線に進んでいるからですよ。

周防　僕が自覚的かどうかわからないんですけれども、扱っている対象とか、世界によっては、青春映画っていいなと思うんですよ。映画って結局は青春映画に尽きるのではないかと、どこかで思っている。それは別に若者向けという意味じゃなくてね。映画って青春を描くのにものすごくいいものなんじゃないのかと、どこかで思っているんです。

沢木　小説だって、きっとそうだろうね。やっぱり青春小説なんじゃない？　最も根幹にあるのは。

周防　監督になってすぐくらいのころに、「監督、自分で自分の映画を観たときに、作ってから五年間は自分がつまらないと思っても面白いと言わなきゃだめです」と言われた。でも、五年過ぎたら、素直に観られる気はしますよね。

沢木　そうかもしれないね。

周防　作ったときは、最初の試写、あの0号試写っていうのが嫌なんです。最初にできた映画を観るときに、まだ自分一人だったらいいんですど。僕が一番前のほうで観ていて、後ろにみんながいて、その気配を感じるんです。こういう状況で自分の作った映画を観る。あれは拷問に近いというか……。でも、あれを過ぎると、もう仕方がない、という諦めがどこかに生まれてきて。

沢木　一つ疑問があるんだけど、自分で観ていても笑うの？

周防　まず、脚本を書きながら、『シコふんじゃった。』は笑っていたんですよ。そのことは、ものすごくよく覚えている。笑うんだけど、笑うのと同様にすごい嫌悪感というのか、これが繰り返し繰り返し映画館で流されてしまうのか、というものはありますよ。

沢木　どうしてそんなことを訊いたかというと、笑いをイメージしたときとは違って、実際にその笑いの場面を作っているときは、いろいろなことが起きているわけでしょ。そういう経過があったあとだと、笑いの中に夾雑物《きょうざつぶつ》のようないろいろな情報が入ってしまっている。それでも、面白いところは面白いと思って笑えるのかなと思って。

周防　笑いますね。ただ、0号試写のときに笑っていたらいい度胸ですけど。『Shall we ダンス？』は、もう作ってからかなり時間もたったし何十回も観ているんだけど、笑うかな？　どうだろう。笑うとしても、もしかしたら普通の観客として観るときとは質は違うのかもしれない。

沢木　一九七〇年ぐらいかな、寺山修司さんの芝居を、僕はあるとき立って観ていた。そうしたらそのすぐ横で寺山さんも立っていて、変なところでニタッと笑うの。結構、それが怖くてさ(笑)。でも、演技というのは、作者の想像を超えたるものが出てきたりすることがあるから、何度見ても面白いものなのかな。

周防　例えば、甥っ子と姪っ子がお相撲、お相撲と言うので、『シコふんじゃった。』を観せることがあるんです。ついでに僕もそばで観ていると、竹中さんを観ていてやっぱり笑っちゃう。だけど、そのときは何かすごく距離のあるものなんですね。ばかばかしいことをやっているなとか思いながら笑っちゃうときは、自分が作ったものとしてはあんまり感じていないですね、よそのものというか、違うものになっている。

沢木　いずれこれからまた次のものを作るとして、そのときに手立てとしての喜劇というのかな、要するに笑いというのかな、それをテコにして映画を作っていくということは変わりそうもないの？

周防　いや、わからないですよ。これもどこかの批評に、「コメディ作家としてならば、ほかに人もいないから重要かもしれないが、映画作家としてはたいしたことがない」と書かれていた。でも、僕、コメディを作ろうと意識して作っているわけじゃないので……。

勘違いかもしれないけど、蓮實さんに、偉大な映画監督はみんな喜劇を出発点とするというふうに授業で言われたような気がした。確かに、お客さんを笑わせることは難しいことだから、それができたら何かすごいなと思っていたので、笑わせてみたいという気はあったわけです。僕が小津さんの何に惹かれるのかというと、飲み屋に親父たちが集まってたわいのないことを言い合っていたり、ちょっとしたいたずらをしたりとかいう、ああいうユーモアに一番惹かれるんです。『東京物語』にだってユーモアはある。そういう意味で、笑わせる瞬間のない映画を作るのは今のところ考えにくいですね。でも、それはコメディという言葉で括られるものかどうかというと、また違いますね。『シコふんじゃった。』でさえコメディだと思って作っていないんですから。僕は、ドキュメンタリーを作ろうとは思わないいんだけど、実は取材は大好きなんです。だから、ほとんど取材ネタの組み合わせで、僕の映画のキャラクターはできていく。例えば、相撲をやっている学生は、ほんとうに面白かったんですよ。面白いんだからそれを伝えようと思ったら、できたものに笑いが多くなるのは当然だろうと思っている。

沢木　そうですね。その話は、よくわかる。

周防　『Ｓｈａｌｌ　ｗｅ　ダンス？』の竹中直人がやり過ぎだとしたら、「あなた、東宝ダンスホールへ行ってごらんなさい」と言いたくなる。もうやり過ぎだらけの人ですよと言いたくなるぐらい面白い世界なんです。

才能の有限性

沢木　話がちょっと変わるんだけど、たまたま今、取材が好きだとおっしゃったでしょう。確かに、ある世界を調べて、それをノンフィクションという形で書く。あるいは、エッセイで書く人もいれば、小説にする人もいるかもしれないし、それを映画にしちゃう人もいる。そういうふうに何かの世界を調べていって構築していくという方法論というのは、次の作品にも使うと思う？

周防　思いますね。ただ、その取捨選択の仕方が、もしかしたら変わっていくかもしれないとは思います。僕は、知らないでつく嘘が嫌なんです。嘘というのは絶対に知らないでついちゃうものなんだけど、なるべく、嘘をつくときは確信犯でと思っていて、そのための取材だというところもありますね。あとは、やっぱり僕の頭では思いもつかないようなことが、世の中にはたくさんあるということが、痛いほどわかっている。そうしたら、まず人の話を聞いてみたり、人のやっていることを見たりというのは、損じゃないだろうと思う。

沢木　でも非常に作家的な人というのは、そういうことを嫌うほうが多くない？

周防　いや、わからないですね。あるシナリオライターが書いた本があったんですね。それはある地方の、ある職業について書かれたシナリオだったんだけれども、それを読んだプロデューサーが肯定的に、尊敬するように、あの仕事を見たこともなければ、その場所に行ったこともない人が書いているのがすごいと言ったんですよ。それで僕は、天才的な人というのはそういうことができてしまう人なんだって感心したんです。でも、僕は、とてもじゃないけれど、そんなことはできない。そういう話があったら、まずその現場に行ってみよう、そして、その人がどんな顔をしているのか見てみたいと思うんですよね。

沢木　そういうのを聞くと、周防さんはとても謙虚な人だという言い方もできるよね。自分の能力、自分の想像力というようなものが有限だと思う人なんだから。

周防　さっき言ったように僕には才能がないとずっと思っているので、あえて才能を考えるならば、図々しさだと勝手に思い込んでいるんです。けれども、それもある瞬間の図々しさだけが僕の才能で、だから、あとは人の力を借りなければいけない。

沢木　なるほど。でも仮に有限でもいいから、その有限性の中だけで全部処理して、それこそ『兄貴の嫁さん』みたいな映画をもう一回作りたいという願望は、まったくない？

周防　でも、『兄貴の嫁さん』も映画を取材していますのでね。

沢木　ああ、そうか。そういうことね。

周防　あれ、ほとんどすべての台詞が、小津安二郎のどこかの映画にあります。だからあれは、小津安二郎についての僕なりのドキュメンタリーなんです。

沢木　小津安二郎の映画を取材したわけですね。

周防　そうです。だからね、作り方は変わっていないんですよ。あれは小津安二郎の映画に取材した映画です。次は禅宗のお坊さんについての映画で、その次は学生相撲をやっている人たちについての映画で、次は社交ダンスをやっている人たちについての映画だった。そういうものをなくして、自分だけというのはあり得ないですよ。怖いのは、さっき言った嘘をつくなら確信犯でいたいと思っていても、どこかで、知らずに嘘をつくことはあるだろう。それにオリジナルのつもりでもいつか読んだ本の言葉とか、絶対に滑り込んでくるわけですよ。そういう関わりの中でしか、ものは生めないというふうに思っている。やろうと思うことについては、積極的に調べると思いますね。ただ、それだけ取材し尽くして、あっ、何だ、全部つまんないじゃないかとすべてを捨てて、ということはあるかもしれない。

沢木　なるほど。そこは多分、周防さんの独特なところなんだろうね。

周防　そうですかね。

沢木　そういうふうに、何かある思い切りをしている人って、映画を作る人の中でも、相当、独特だと思うけれども。

周防　でも、作家の人も、僕より下の世代という言い方は変ですけれども、少なくとも昭和二十年代以降に生まれた戦後世代って、きちんと取材したりとかして書く人、多くありません？

沢木　というか、そうしないと、おっしゃったように、確信犯的な嘘がつけないからということなんでしょうね。それと、みんながもっと知っているから、単純にばかにされるということもあるんでしょう。ただ、小説的な世界で言えば、取材をしていって構築できるものから何か突き抜けたいという願望を、いろいろな意味で持っているんじゃないかという気はするな。

周防　僕は、そうやって作っているとき、知らない間にインドの「魂」のようなものが宿っていっちゃうんじゃないかって、勝手に思っている。

沢木　今度の『インド待ち』の中で、助監督さんから監督になったというラジューさんという人が、すごくいいことを言っていた。確かに、何かを作っているときに、偶然が何かを生むということは絶対あるよね。

周防　ありますね。

沢木　そのときに、いま、自分は何かすごいことをやっているんじゃないかって思うこと、時々ありますよね。

周防　あります。

沢木　それを「魂」と呼ぶんじゃないですかと、彼が言っていて、それはちょっと違うような気もするけれども、その何か偶然を信じる心みたいなものが、ものを作るということの根幹だという気がするな。多分、ジャンルは関係なく、ノンフィクションであろうが、フィクションであろうが、ある種の偶然が何かを呼んでくれるということを信じないと、作品にならないと思うんです。

周防　でしょうね。僕は、実はシナリオを作って映画にするときも、理屈っぽいというのか、どうしてそうならなければいけないのかということばっかり考えるわけですよ。要するに、悪く言っちゃえば、辻褄《つじつま》合わせ的なことを含めて、どうしてそうなるのかということを考えているんですね。そうやって作っていくうちに、理屈ではそうなんだけれども違うんじゃないのか、というものに巡り合うんです。巡り合ったとき、理屈では論破できないんだけれど、自分の勘を信じて、こっちへ行ってしまえ、ということで跳んでみる。そっちのほうが本当じゃないかとかと思って跳ぶわけですよね。だけど、何度も跳んでいてはだめで、ほんとうに跳ぶのはどこなんだというところを、取材をしたり、シナリオを書きながら考え続けるんです。どの映画にも、目をつぶって跳んでいるところがあるんです。それがうまくいくかいかないかで、面白いものになるのか、そうじゃないものになるのかに分かれます。いまは五年間映画を撮ってないんですが、いろんなことを考えています。でも、何かとパンと出合って、あっ、これだっていう確信がないと、絶対にやるって言えないんですよ。

編集の楽しさ

沢木　スポーツで考えると、僕はこれまでのところサッカーについて書いたことがないんですよ。というのは、僕は小さいときからずっと野球をやっていて、周防さんと同じで、中学三年までは野球部だった。でも、ちょっと肩がだめになって、陸上競技やラグビーをやったりした。だから、例えば十年間、野球を見ていなくても、今、プロ野球を見れば、勘が働くっていうことがあるんですよ。ところが、サッカーは子供のときからやっていなくて、好きなチームなんていうのがなかったから、熱中して見たことがないんです。たとえ実際にやっていなくても、子供のときに、あっちが勝ったかこっちが勝ったかで心を痛めた、という経験がないんですよね。だから、サッカーに関しては勘が働かないので、書けないと自分で決めている。今、おっしゃったように、あるジャンルについて、ぎしぎしとやっていると、それこそ神様が降ってきたり、跳ぶところがわかったりということが起きるんだけれども、そうじゃないものでは、その経験ができない。

周防 なるほどね。

沢木 時々、沢木さんも映画作ってみたいと思いませんかって聞かれるんですよ。僕は、絶対できない。というのは、技術とか、ほんとうにばかばかしいことを学ぶ期間というものを、僕は信じているから。やるならば、それこそ周防さんのように助監督を何年かやって、シナリオを二、三年書いて、それでやるんだったらいいけれど、僕にはもうその時間はない。

周防 でも、沢木さんの写真集『天涯』を見ていると、ほぼ映画のカット割りのような写真がありますよね。

沢木 そうですか？　そういえば、周防さんの映画の編集はだれがするの。

周防 僕のやり方では、まず、記録さんが僕の決めたシーンナンバーとカットナンバーを全部記録します。そしてフィルムと一緒に編集室に送られる。そうすると、編集マンはそのシーンナンバーとカットナンバーとシナリオだけを頼りに、つないでいく。撮影現場を知らない人が編集するわけですが、それが大事なんです。なぜかというと、映っていることだけを初めて観て編集するということは、この映画の最初の観客に近いんですよ。僕のシナリオがそこにあって、カットがある。彼はそれだけで、つなぐわけです。彼がわからないことは、お客さんにもわかるわけがない。だから、僕の意図がきちんと伝わるものは、僕が思ったようにつながっているし、それができていないときは……。

沢木 編集もあいまいになる？

周防　そうなんですよ。全部編集が終わって編集室に行って、オールラッシュという形で、粗編を見ます。そのときに初めて編集マンに、実はこのシーンはこういうことがあって、これを伝えたかったので、こういう順番にしたんですと言うと、ああ、そうなの。じゃあ、こうすればいいよというアイデアが出てくる。要するに共同作業なんです。

映画って、クレジットタイトルが出ますよね。監督、脚本、俳優。でもね、これも全部単独でやるってことはあり得ないんです。全部が相談の作業。監督が唯一、みんなと違うのは決定権があること。だから、僕はイエス、ノーさえ言えれば、映画監督はだれでもできると思っている。

編集はだれがやっているんですかと聞かれると、編集マンと僕と答えます。僕はプロデューサーに時々意見も聞くし、助監督が僕に意見を言うときもある。だけど、フィルムの切った貼ったをしているのは編集マンだから、編集は編集マンの名前が出るという考えでやっています。

沢木　なるほど。僕が編集のことを訊《たず》ねた理由は、たまたま『天涯』という写真集の話になったからなんです。僕は、これを撮った写真はこっちがいいかなとか、同じようなのを隣にしたらどうなるかな、とか考えるのが、ものすごく好きなんです。撮ることなんか全然好きじゃない。ただ、あるものをどうしたらいいかということを考えるのが大好きなんです。文章もそうです。だけど、書くのはそんなに好きじゃなくて、いつも困っているんだけれども。

周防　嘘、っていう感じですよね。みんなそう思っていますよ（笑）。

沢木　でも、材料があったら、それを編集するのはとても好きだよ。多分、僕が文章と写真ぐらいで、ほかの領域に行こうともしないというのは、一人で机の前でできる作業は、そのくらいが限界だと思っているから。テレビも映画も人との共同作業で、もちろんその楽しさは十分わかっているけれど、小さなところで、手作業で切ったり貼ったりするのが好きなんですね。特に『天涯』という写真集を編集しているときはほんとうに楽しくて、一年ぐらいそれで遊んでいた感じがします。これにしようかな、あれにしようかなとか、これはやめようかな、とか言って。何となく映像的ですねと言われたことがあるんだけれども、映像を作る人たちの作業とは全然違って、一人の楽しみなんですね。

周防　でも、それは映画を観ている経験があるから、知らず知らず写真の選択の仕方に自分の好みが出るのではないですか。

沢木　そうかもしれませんね。でも、完全にそれでやろうとしたら、アルバムになるでしょう。実は僕、写真集は、あまり好きじゃない。大きすぎて、読みたいときに読めない。本箱の下のほうに積み入れちゃったら、もう出てこないという感じじゃないですか。一点、一点が、これが写真だ、というようなものばかりだし。家族のアルバムだと、大体、似たような写真が六枚ぐらい貼ってあるから楽しい。それと、失敗した写真なんかも入っている。家族のうちの一人が横を向いちゃったような写真もある。これがアルバムの基本じゃないですか。そういう写真集というのがないのかなと思って『天涯』を作ったんですよね。近所の子供たちにその『天涯』を見せたら、おじさん、みんなブレているのばっかりだねって言われてしまった。でも、そのブレたものも含めて、それが本当の記憶みたいな気がしています。

周防　でも、きれいな風景もあるじゃないですか(笑)。

沢木　日本のカメラで撮れば、誰でもあれくらいは撮れるんです(笑)。

引き裂かれるメディア

周防　ところで、沢木さんが朝日新聞に書いている映画評でとりあげる映画は、どのような基準で選んでいるんですか？

沢木　週に一回、二本ずつ、八本か十本観て、その中でいいなと思うものがあれば書きます。いろいろ思い迷いながらやっていますが、基本的には面白いと思ったものだけにしようと思っている。日本映画は、今まで『ナヴィの恋』と『顔』くらいかな。

周防　実は、作り手として強く思うんですけれども、ほんとうは予告編すら観せたくないんですよ。僕、映画雑誌もほとんど見ないし、なるべく人の話も聞かないようにしている。でも、沢木さんは朝日新聞に書いているので、観た後に読みたいぐらいなんだけれども(笑)。

沢木　僕のは感想文なんです。でも映画の感想文って、ほんとうに難しい。映画は、何も知らないで見ることが一番いいに決まっているから。だけど、二つ考え方があって、一つは、人に薦められて、さっきの義母たちのように『ブエナ・ビスタ・ソシアル・クラブ』を観ることもあるわけですよね。もう一つは、観ないけれども、その欄を読むことで、映画を観ることができない人が、観たような気分になれる。また、あの欄を読むことで、あっ、こういう映画なんだと記憶に残っていて、次にまた、それに主演していた俳優が出ていたら、ちょっと観てみようかなと思うかもしれない。そのぐらいの希望的な考えは持っている。でも、本質的には、映画はパッと遭遇するのがいいのは間違いないですよね。僕は映画雑誌の類いを見たことがなくて、試写会で映画を観るときも、プレス用のパンフレットは一切読まない。

周防　僕たちは、観る人が映画の内容を何も知らないはずだということを前提にシナリオを書いているわけじゃないですか。でも、公開されるときには、みんなが内容を知っているんですよ。

沢木　いいシーンがわかっていたりしてね。

周防　少なくともストーリーの流れを、みんなが知っていたりする。でも、それがわかっているという前提では作ってないんです。誰も内容を知らない、そのためのファーストシーンだったし、そのためのラストシーンだったはずなのに、ある理解の上に観られてしまうというか、何か情報が入ったところで観られてしまうというのはね、一番引き裂かれる。

沢木　だから、映画は不運だと思う。そういう情報発信をしないと人が来てくれない。だけど、その情報が観たときの感動を薄めるという、もうほんとうに「引き裂かれる」メディアだよね。

周防　「平凡な毎日を送るサラリーマン」と書かれた瞬間、それでイメージが最初からできてしまう。「ある日、社交ダンスを始めて」と、そこまで言われたら、「おっ、社交ダンスかよ」って驚きまで奪われるわけでしょう。僕自身が何かサラリーマンの話ができないかなと思っているときに、電車の窓から、すぐそこにある駅のそばに建つ雑居ビルの社交ダンスという看板を見て、「おっ、社交ダンスって、昔からあったよな」っていうあの発見。その発見を何で観客から奪わなきゃいけないんだと思うわけじゃないですか。

沢木　そうだよな。

周防　あれ、何も知らないで見たら、もっと面白いのにと、作り手は思うんですよ。

沢木　でもね、今のと逆の話なんだけれども、僕は実はね、粗筋《あらすじ》というのは、小説の紹介でも、映画の紹介でも、ものすごく大事だと思っているの。それをいかにうまく書けるかが、その映画をどう見たかにかかわってくる。

周防　そうですね。それは逆説的に言うと、スタートは粗筋ですからね。だから、いかに短く核心的なことを書けて、それを企画のときに相手に伝えることができるのかというのは、すごく重要なことなんです。

沢木　なるほど。

周防　『Shall we ダンス?』の企画段階でも、あるプロデューサーには、温泉場でお風呂に入りながら僕が粗筋を語って聞かせた。彼はいまだに言うんですよ、あの粗筋のほうが面白かったって(笑)。粗筋は、彼の中で、ブワーッと広がるんですよね。きっと、自分の好きな物語にして。

沢木　それと、幾つかの断片だから、向こうに自由がいっぱいあるんだよね。

周防　あるんですよ。

話はかわりますが、名画座というのは、ほんとうによくできたものだと思うんです。僕、『フレンチ・コネクション』ですら、何の映画かまったく知らないまま観ているんですよ。あのころ、僕は映画少年じゃなかったから、映画雑誌もしっかり読んでもいないし。チラシすらなくて、名画座の看板の絵しかないところで観ているんです。十九のとき、ちょうど受験勉強をしているさなかに、何の予備知識もなく映画館に入って、『ペーパー・チェイス』を観た。タイトルからも何もイメージできなくて、観たらハーバード・ロー・スクールの、ただ、ただ試験勉強をする話だった。でもあの出会いの結果、その夏、僕は友達と二人で、山荘にこもって勉強しようと出かけてしまった。だから、観たあとでも残っていますよね。

沢木　驚きが？
周防　そう、驚きが。噓だろう！　という感動。
沢木　タイトルのことで言えば、『Ｓｈａｌｌ　ｗｅ　ダンス？』はダンスか、『シコふんじゃった。』も相撲か、と思うけど、『ファンシイダンス』がさ、坊さんの話とはわからないよな。
周防　でも、あれは原作の漫画があるから。
沢木　あるけれども、漫画を知らない人には『ファンシイダンス』と言って、あの内容はイメージできないと思う。
周防　できないですよね。
沢木　だけど今になってみれば、『ファンシイダンス』って、いいタイトルだと思うよな。だから、終わっちゃうと、タイトルは、もう何でもなくて、中身が全部それを保証してくれるんだね。
周防　あとから、ついてくる。
沢木　そう、なんでも、きちんと作っていればあとからついてくるんだろうな。

陶酔と憂鬱

先崎 学
沢木耕太郎

せんざき　まなぶ　一九七〇年、青森県生まれ。棋士。

先崎さんとはこの対談以降、お会いしたことがない。だから、二年前、『うつ病九段』という本が出たときは驚いた。そこで、先崎さんは、自分がかなり重いうつ病にかかり、大切な順位戦も休場せざるをえなかったということを告白していたからだ。

それにしても、『うつ病九段』は実にすばらしい本だった。うつ病の発症から回復に至るまでの十カ月を時間を追って記している。先崎さん自身が書いているとおり、《基本的に横になってました、散歩しました、将棋のリハビリをがんばりました》という日々の記述にしかすぎない。しかし、読者をまったく飽きさせない。それが可能だったのは、先崎さんの文章が簡潔で正確であるからだ。読みやすく、伝わりやすい。読み終えた私は、あらためて、先崎さんが棋士の中でも傑出した文才を持っていることを確認したものだった。

棋士にしておくには惜しい、などという冗談を言うと、棋士に復帰するために苦しい努力をしたはずの先崎さんに怒られそうな気もするが、やはり言ってみたくなる。

この対談は、「オール讀物」の二〇〇二年七月号に掲載された。まとめてくれたのはフリーライターの斎藤明美さんで、状況説明のための洒落た短文を挟み込んでくださったが、他の対談との兼ね合いもあり、残念ながら省略させてもらうことにした。

（沢木）

「物語」になる勝負師

沢木　すみません、こんなに遅れてしまって……。
先崎　成田から直行されたんでしょう？
沢木　そうなんです。昨夜、韓国から帰ってきたんですよ。と言うのも、週刊誌の「ＡＥＲＡ」で一カ月だけサッカーのワールドカップについてレポートすることになって、その一回目の原稿を今朝、成田のホテルで仕上げるつもりが、思いのほか時間がかかってしまって……。僕は「週刊」というのを甘く見てたんですね（笑）。だから今更のように思い知ったわけです、「週刊文春」で二年近くも連載をやってる先崎さんは、偉いなぁ。
先崎　ハッハッハッ。
沢木　一週間に一ぺん締切りがあるなんてイヤでしょう？
先崎　いえ、もう、イヤだと思う暇もないくらい、大変です（笑）。
沢木　先崎さんの文章の中にもありましたけど、週刊誌の連載って、あれはやっぱり人間のやる仕事じゃないよね（笑）。
先崎　ええ。堅気《かたぎ》の人間じゃできない（笑）。
沢木　それに先崎さんのエッセイを読んでるとわかるんだけど、起承転結をつけて、一話で完結したいという気持ちが強いから、それが一層苦しくさせてるんじゃないかと思って。単に日常雑記で済ませてしまおうとすれば違うんでしょうけど。

先崎　でも僕の場合、日常にはそんな面白いことがないんですよ、逆に。
沢木　そうでしょうかね。日々、妙な人に会ってるような気配があるんですけど。
先崎　いやいや、そんなことはないです(笑)。
沢木　例えば、向田邦子さんのエッセイが面白い理由の一つは、あの方が仕事柄、常に芸能界に関係していたというのが大きいと思うんですよね。芸能界には変な人がいっぱいいるもん。その点で、次に恵まれた環境にいるのは、将棋界の人じゃないかと思うんですけど(笑)。
先崎　でも将棋指しも、昔に比べると、変わっているというか面白い人が少なくなりましたね。特にここ数年はずいぶん雰囲気が変わったと思います。
沢木　あ、それはそうかもしれませんね。物語になる人って言い方をすれば、例えばライターに『升田幸三物語』とか、そんなようなものを書きたいっていう欲求を起こさせるような方は多くないかもしれませんね。最近は。
先崎　昔のほうが滅茶苦茶だけど楽しい雰囲気だったように思うんですよ。今は学者タイプが多いです。
沢木　なるほど。実感なわけですね？
先崎　ええ。昔は、極端に言えば、たとえ将棋のルールを知らない人でも、将棋指しを見ているだけで楽しいというのがあったと思うんです。『王将』の坂田三吉先生とか升田幸三先生みたいに、それこそ沢木さんがおっしゃった「物語になる人」が多かったから。
でも今は、ある程度自分で指せる人をターゲットにして、純粋に盤上から情報を発信し、それを楽しんでもらおうというのが主流になってるというか、特に若手には多いんじゃないでしょうか、そういう傾向が。

沢木　なるほどね。ある意味「まっとう」と言えばまっとうだけど。

先崎　ええ。非常に正統と言えば正統というか。ただ、沢木さんの年代の方たちですと、将棋を知っていて当たり前という空気があったと思うんですけど、今はすごく減ってますでしょう。だから棋士のほうもその少なくなったファンに照準を合わせてるような雰囲気はありますよね。

沢木　僕なんか単に観る側だから、あえて無責任に言いますけど、強い弱いは別として勝負師として魅力的な人がもっとたくさんいてもいいような気がするんですよ。そんな例に挙げたら失礼かもしれないけど、芹沢博文さんみたいな。変わってるけど面白いなって思えるような。

先崎　そうですね。芹沢先生はすごく魅力的な人でした。

沢木　芹沢さんは、どこかでフッと「投げた」というような瞬間のことを書いたりおっしゃったりしたことがあるでしょ？　もう自分は名人になりそうもないというふうに自分で思われたっていう。

先崎　ええ。

沢木　棋士って、ある時、そういうふうに思うことがあるんですか？

先崎　やっぱり上のほうまで行った方が挫折すると、そういう思いは強いでしょうね。

沢木　先崎さんはどうなんですか？

先崎　僕の場合は、何度かそういう思いをしたことはありますね。

沢木　それは、自分の位置が落ちるのがハッキリわかるというのと、もう一つ、位置とは関係なしに、自分自身がめざしている将棋の最高の水準に到達し得ないと思うのと、どちらについてです？

先崎　いや、どちらというより、大事な勝負に勝った後は「ああ、俺って強いんだ」と思うし、負けた後は「ああ、ダメだ」と。でも、それは個々の勝負についてであって、本質的なところでは思ったことはないんです。

僕の場合、羽生善治、森内俊之、佐藤康光、郷田真隆、という彼らがだいたい僕と同い年で、言ってみれば、一緒に勉強して一緒に強くなってきたので、常にどうしても彼らと自分を比較せざるを得ない状況にあったんですね。だからよく人からも言われるんですけど、「基礎設定が高い」って言うんでしょうか。本来、彼らと自分を比較する必要もないのに、僕の場合は、彼らと同世代なために周りから妙にエリート視されてしまって、結果、自分自身は常に落ちこぼれだと思ってきたわけです。

沢木 でも先崎さんは十七歳で四段になってるから、言わばスピード出世したわけでしょう?

先崎 まぁ、年齢的にはそうですね。

沢木 ということは、勝負を重ねるにつれて彼らに追いついたという感じなのか、A級より上がないから彼らがたまたまそこにいてくれたという感じなのか、どちらなんでしょう?

先崎 ……まぁ、追いついたっていうより、彼らに挑戦する資格を得たなと思いました。二十代のうちに圧倒的な差をつけられましたから、A級順位戦で勝って、一発逆転したかったですよね。

沢木 そして一発逆転は成った?

先崎 いや。結果として降級したわけですから、まだ成ってないです。

沢木 でも、たとえば誰かに勝った時、瞬間的ではあっても、逆転というか、「よしッ」と思ったことはあったわけでしょう?

先崎 多少は、ですね。でもそれはあくまで一過性のもので、長い目で見て、差がついちゃうんですよね。

沢木　うーん。厳しい世界だなぁ。例えば、僕達がいくら下手な原稿を書いたって高が知れてるじゃないですか、客観的な評価の基準がない世界だから。でも先崎さんが住んでる世界は、否も応もなく常にクラス分けをされるわけでしょう。相対評価でありながら、ほとんど絶対的な評価でもあるという。

先崎　だから、まともじゃないですねぇ、将棋指しっていうのも（笑）。少なくとも僕はそう思ってるんです。だっていつも勝ったり負けたりの連続なんて、どう考えてもまともじゃないですよ。中間がないんですから。だからニュートラルな部分が欲しくなるんです。そういうのが文章を書く動機になっているところは、ハッキリ言ってあると思いますよ。

沢木　あ、なるほど。それは面白いな。

先崎　だから沢木さんが、さっき「一週間に一ぺんの締切りはイヤでしょう」とおっしゃったのは、確かにその通りなんだけど、でもそれでもやってるというのは、そういう部分があるからなんです。僕は何でもシロかクロか、百かゼロかって考えちゃうんで、週に一度アバウトになれるのが、いいんですよ（笑）。

沢木　ハッハッハッ。連載中もそう思ってたけど、今回あらためて通読してとても素敵だと思いました。

先崎　ありがとうございます。

沢木　でもおかしかったのは、聞くところによると、先崎さんは文字の統一ってあまり気にしないんですってね。たとえるなら、「とき」でも「時」でも、バラバラでいいと。普通は文字の統一をするじゃないですか、校正の方にも言われるし。

先崎 そうなんです。僕は統一しないほうが気持ちいいんです（笑）。僕にとっては、「書く」ことが重要なんですよ。だからそれが評価を受けるとか売れるとかいうことって、あんまり重要じゃないんです、実を言うと（笑）。

沢木 僕なんか、先崎さんは将棋指しにしておくのは惜しい（笑）と思うほど、エッセイが上手いと思ってたけど、その裏にはそういう精神作用があったんですね、曖昧なところを残しておくという。

崖っぷちで読んだ『一瞬の夏』

先崎 活字ということで言えば、僕は沢木さんの『一瞬の夏』を何回か読んでいて、恐らくあと何回も読み返す作品だと思うんですけど、昨年の三月、これに負けたらほぼ降級だという島朗《しまあきら》さんとのA級順位戦最終局の前日に、何故かふと思い出して、また読んだんですよ、本なんて読む心境じゃなかったのに。

それまで僕は常に前に押し出せるかどうかの戦いばかりしていたのが、その年の順位戦は、僕にとって生まれて初めて後ろに押し出されないための戦いを強いられたわけです。相撲で言えば、初めて徳俵《とくだわら》で踏ん張った状態を体験したわけで、そのこと自体が僕にとってはものすごいショックだったんです。もう自分自身が許せなかったくらいショックでした。で、初めは家でビデオを観てたんです、ボクシングの。主にモハメッド・アリのを。

沢木 ザイールのフォアマン戦とか？

先崎　ええ、それも含めて、アリの若い時からの全部。好きなんです、アリの戦いが。闘争心が湧いてくるって感じで。というのも、島さんは今年、一期でA級に復帰されましたが、僕はかねがね凄い人だと思ってましたし。だから自分の力が百だとすれば百二十出さないと勝てないというふうに思ってたんです。だからどうしても百二十になりたかったんですよ。普通なら空を飛ぼうとすれば叩きつけられるところを、そのまんま翼を持ちたかった。

で、ビデオを観た後、『一瞬の夏』を読み返していて、主人公のカシアス内藤がアリと対比して超越的なものに対する飢餓感が決定的に欠けていたというくだりで、思ったわけです、才能もあって実力もセンスも申し分なく環境も良かったけど、カシアス・クレイ、モハメッド・アリに比べて決定的に欠けていたのはそれだったと。そして僕は、ずうっとカシアス内藤だったんだっていうふうに思ったんですよ。だから一瞬だけでもやっぱりカシアス・クレイになりたかったんですよね、あの本を読んで。

沢木　でも、結果として見事に「翼を得て」勝ったんですよね。

先崎　ええ。それでその時はすごい幸せだったんですけど、でも今期A級から落ちて、やっぱり僕はカシアス内藤だったかなって(笑)。内藤さんにはすごい失礼な言い方なんですけども。

沢木　超越的なものを求める、か……。

先崎　その点、羽生さんとかは、その超越的なものを求める、求道者《ぐどうしゃ》タイプって言うんですか。盤上の真理に近づこうみたいな考えがあると思うんですよ。

沢木　先崎さんにとって、その「盤上の真理」というのはどんな位置付けにあるの？

先崎　うーん……僕はそういうのはあまり得意な分野じゃないんですよね、正直言って。僕は何が何でも勝つんだみたいな一念で子供の時からずっとやってきましたから。

沢木　盤を介して相手と対峙した時、その相手を突き抜けてもう少し向こうにある何かと対決するみたいな気持ちはない？

先崎　さほどないですねぇ。僕の場合は、やはり対象は相手です。僕は一言で言えば、すごい負けず嫌いで、それだけで何とか生きてきましたから。

沢木　でも負けず嫌いだけでここまで来るっていうのも凄いよね。

先崎　まぁ、そうかもしれませんけど、自分ではよくわからないですね。

沢木　でもそれは凄いですよ、確かに。僕なんか、さっきの話でいくと、カシアス内藤君に、「何でお前はこうなんだよ」とか「どうしてああなんだ」とか、いろいろ文句ばっかり言い続けてきたけども、仮にそういう超越的なものに対する飢餓感がなくても、リングに上がって戦ったのは彼だからね。その「リングで戦う」ということに対して、何かある種の畏《おそ》れというか、敬う気持ちね。それがなかったら、とっくにもう付き合いは終わってたと思うんです。この歳になっても、二人であれこれジムを作ろうだとかなんとかゴチャゴチャやるということもなかったと思う。リングに上がって恐怖と戦い、倒し倒されたりすることをやってきた人に対する畏怖の念、それは棋士の人たちに対する畏れというのと共通するんですよね。だから先崎さんの生きている世界が過酷であればあるほど、そういう大変さを背負ってる人に対する尊敬の念を強めるわけですよ。

先崎　そんなふうに思っていただけると非常に光栄です。でも、将棋で詰まされるのと実際に殴られるのとは違いますから、やっぱりボクサーのほうが僕は凄いと思いますね。

沢木　ハッハッハッ。

先崎　将棋指しっていうのはある意味で、天国か地獄かみたいなところがあって、競争してる状態を楽しいと思えれば天国だし、苦しいと思えば地獄になっちゃう。
まぁ実際は、そう単純に二分化できるわけじゃなくて、微妙なところでバランスをとってるわけですけど。

沢木　その一局に勝てば天国で、負ければ地獄というのとは違うわけね？

先崎　ええ、それとは違う。負けた時でも、そこに反省があって、まぁカッコよく言えば明日に繋がるみたいな前向きな気持ちになれれば、将棋指しとしての「いい状況」なわけで、地獄にはならないんです。だからもっと言えば、勝ってもあまり有頂天《うちょうてん》にならず、負けても絶望せずっていう性格が、将棋指しに向いてるんでしょうね。またそうならないと生きていけないですよ、常に「負けたら死のう」じゃ(笑)。

沢木　でも勝った時は単純に喜んでもいいように思うんだけど。

先崎　いや、勝つのが当たり前の時は、そんなに嬉しくないですよ。勝てなくなったら一勝が重くなりますけどね。

沢木　うーん、なるほど、それは深い言葉だね。

先崎　勝って「ワーッ」とはしゃぐ棋士は、まぁ若手じゃダメですよ。ええ、そりゃあもうダメです。でも勝てなくなると、やっぱり勝ちが嬉しいんですよね。

沢木　そうか。勝ちを非常に嬉しく感じるようになると、逆にヤバイってことだね？

先崎　ええ。でもこういう考え方もできるんですよ。たとえば勝負が四十回あったとしますね。そこに三十勝と十敗という人と、十勝三十敗という人がいるとする。普通に考えたら、三十勝十敗のほうが十勝三十敗の人より精神的にいいと思うでしょう。でも実際は本人の考え方次第なんですよ。たとえ十勝三十敗でも、十勝の時にものすごく嬉しくて、三十敗がそんなに口惜しくなければ、幸せなんです。

沢木 面白いね。

先崎 ただ、そうなると、棋士としては、ある意味、上を目指せなくなるのかもしれないけど。でも、そんなことは周りからとやかく言われる筋合いのものじゃなく、本人の幸せの問題なわけだから。

沢木 そうだよね。とすると、やっぱり棋士の理想の心持ちとしては、勝ちに有頂天にならず負けに絶望せずってほうがいいと。

先崎 ええ。でも、かといって、感情があんまりない人間というのは、それはそれで棋士には向かないんですよね。だからその辺がすごく難しい。やっぱり芯が強い人間が強いんですね。要は、考え込まないのがいい。でも人間だから、どうしても考えちゃうけど(笑)。

沢木 先崎さんの場合は、考えるなと言っても、考えるタイプじゃないですか。

先崎 そうなんです。だからそれが自分のハンデだと思ってます、ええ、ハッキリと。考えないようにしようと思ってそうできればすごくいいだろうなと思いますね。

スポーツ選手は将棋を指せ!

沢木 じゃ、あえてぶしつけな質問をしますけど、今回、A級から落ちた時、そのハンデを強く感じましたか?

先崎　そうですね。しばらくは誰とも会わないっていうか、人と会うのがダメでした。知ってる人に会うと、その人が自分のことを悪く言ってるような気になるんですよ。だからほとんど人に会わなかったです。

沢木　でも、もう一回Ａ級に戻ろうと思い決めるわけじゃないですか。

先崎　はい。

沢木　その思い決めた時、どのようにしてもう一回戻ろうというふうに思っていくわけ？　それはごくごく普通にやっていくってこと？　それとも何か特別なことをやろうっていうふうに思うの？

先崎　……うーん……、まぁ……うーん……。

沢木　僕は今みたいな状況だと、せっかちだから、必ずすぐに助け船を出そうとするんだけど、長考《ちょうこう》してる人の前で、ずーっと次の一手を待ってる棋士のような気分になって、先崎さんから言葉が出てくるのを、今待ってたの(笑)。

先崎　すみません。

沢木　いえいえ(笑)。

先崎　まぁ、さっきの答えは……しょうがないですよ、ええ。

沢木　でもさ、今回の先崎さんの本『先崎学の浮いたり沈んだり』では「無念の降級」という章で、きちんと書いてらっしゃるよね、その時の思いを。

先崎　ええ。だから、書くことによって、ある意味、救われた部分はありますよね。それに、降級が決まって、誰にも会わず家でクサってた時、『フフフの歩』が増刷になったっていう知らせがきて、大変嬉しかったんです。あの日の夕食だけは美味しかったですね、ハッキリ言って(笑)。

沢木　おぉー、それはよかった(笑)。それはめでたい話だ。

でも書くことが一種のクッションになると思えるのは、棋士としては相当珍しいタイプだと思いますよ。字を書くことが、苦痛でなく、何か、ある柔らかい感じとして捉えられるというのは、凄いと思う。

先崎　いや、それは単に違う種類のことだからですよ。

本当は、将棋と書くことという同じ座業の中に別のムードを求めるんじゃなく、本質的に違うこと、身体を動かしたりするほうがいいんですよね。

沢木　何かスポーツをやってるんですか?

先崎　いえ(笑)。ちょっと水泳をやるくらいで。でも逆に、スポーツ選手は将棋を指したほうがいいと思う。これは日頃からの僕の意見なのですが。

沢木　ほぉー。

先崎　スポーツ選手がスポーツをする時、頭の中に将棋のような、相手の心理を読んだり戦術を把握したりする要素を取り込めば、それによってすごくバケる人が、僕、出てくると思うんですよ。

沢木　それで思い出したけど、僕ね、四月にイタリアで中田英寿さんと食事したんだけど、彼がラスベガスでギャンブルしたって言うんですよ。「何やったの?」って聞いたら、ブラックジャックだと言うの。それで彼が「沢木さんは何が好きなんですか?」って言うから、僕はバカラだと。中田さんはバカラを知らなくて、説明してくれと言うから、説明したわけね。その上で中田さんが言ったのは、「ああ、でもやっぱり僕はブラックジャックのほうが好きだと思う」と。「なぜ?」と聞いたら、「やっぱり心理の読み合いがないものはつまらない」と言うんですよ。

先崎　へーえ。

沢木　バカラっていうのは、極端に言えば、自分との問題じゃないですか。ここでバンカーに行くのか、プレイヤーに行くのかという。基本的に他人は関係ない。

先崎　そうですね。

沢木　自分と向き合うことですよね。だから僕は面白いと思うんだけど、中田さんは相手がいて相手の心理との駆け引きがちょっとでもないのはつまらないって言うの。

先崎　ああ、なるほどなるほど。やっぱり中田英寿って、並のサッカー選手じゃないんですね。

沢木　うん、そう思います。先崎さんは博打《ばくち》の種類で言うと、何がお好きなんですか？

先崎　最近は、麻雀ぐらいですねぇ。

沢木　面白いですか？

先崎　ええ、面白いですよ。伏せた牌《パイ》がありますもん。将棋はないからな。

沢木　ハッハッハッ。確かに、すべての駒が見えている。

先崎　麻雀が強い人って、みんなわかったような気になってるわけですよ、伏せた牌の裏が。本当はわからないんだけど。

沢木　そうだよね。

先崎　ブラックジャックとかバカラって、わからないということを前提にやってるじゃないですか。

沢木　うんうん。

先崎　麻雀って不思議なもんで、調子がいいときは伏せた牌がわかるような気になっちゃう。あれが面白いんです。

沢木　先崎さんは、去年でしたっけ？　韓国でカジノに行ったのは。
先崎　ええ、済州島で。
沢木　どんな博打を？
先崎　バカラです。もう負け過ぎっていうくらい大損しました（笑）。
沢木　落ち込まなかった？
先崎　ええ、それほど。ただ将棋で負けてる時期にそういうことがあると、かなり辛いですけども（笑）。
沢木　やっぱり先崎さんは、将棋っていうものが常に中心にあるんですね。
先崎　どうしてもそうなりますねえ。

「才能」が心の支え

沢木　そこで聞きたいんだけど、生まれ変わったらまた将棋指しになりますか？
先崎　なりたいとは思わないです。
沢木　別の人生を生きたい？
先崎　はい。
沢木　それは意外だけど、ほんとに？
先崎　ええ。具体的に言えば、第一次産業をやりたいですね。
沢木　あ、それはわかるよね。漁業であれ、農業であれね。

先崎　そうなんです。

沢木　だけど、今の棋士という仕事を、生まれ変わっても「絶対やりたくない」というふうに思ってる？

先崎　うーん……、絶対っていうほどじゃないですけど、できればやりたくない。

沢木　でも「絶対」じゃないというところを見ると、そんなにイヤじゃないんだな、棋士が。

先崎　まぁ……そうなんでしょうねぇ……。

沢木　そうだと思う。先崎さんふうに断定してもいいけど、「キッパリ」と(笑)。

先崎　でも僕みたいなのはたぶん、第一次産業に就いたら、その時はその時で、第三次産業がいいなと思うんじゃないでしょうか。

沢木　ハッハッハッ。そうかもしれない。

先崎　何か違うことをやってみたいんですよ。僕は小学校一年で将棋を覚えたんですけど、ほとんど将棋以外の記憶がないんですよね。だから少年時代に、将来何かになることを夢見たとか、そういうことがないんです。

沢木　じゃ、例えばずっと名人を目指してきたと？

先崎　それもあるかもしれないけど、単純に一番になりたいっていう気持ちですよね。奨励会というプロの養成機関に入ると、どうしても競争社会ですから。目先の競争相手に負けたくないっていう、その一念でしたね、二十歳ぐらいまでは。

沢木　二十歳以降は？

先崎　ちょっと緩みましたかね、二十歳前後で。

沢木　理由は？　なぁーんて尋問したりしてね（笑）。女か？　とか（笑）。

先崎　それはまぁ……、あんまり（笑）。でも正直、ちょっと気が緩んだというところはあるなぁ、今にして思えば。やっぱり羽生さんとかは、その二十歳ぐらいの時に自分の将棋を確立させたいというふうに思ってたって言いますからね。こっちは毎晩、酒飲んでるわけで（笑）。

沢木　昔の芸人さんなんかは、そういうことが芸の肥やしになるって言ったけど、将棋の場合はどうなの？

先崎　ならないでしょうね。昔は、遊ぶことに限らず全部が将棋の肥やしになるんだみたいな話を聞きましたけど、僕はそう思わないですよ。

沢木　そしたら、要するに将棋が強くなるためには、ただ勉強するよりないの？

先崎　うーん、そこが未だによくわからないんですよ。

沢木　実感がこもってますね。

先崎　でも、もちろん勉強し続けることは重要ですよね。

沢木　ただ、その勉強の質にもいろいろあるんでしょうね、人によって。

先崎　ええ、パソコンの前に座って棋譜を並べるのも勉強だし、誰かの対局を眺めながら何人かで研究するっていうのも勉強だし……。

沢木　でもそれは、乱暴な言い方をすれば、誰でもやってるとも言えますよね？

先崎　そうなんですよ。

沢木　とすると、どこで差がつくの？

先崎　どうなんでしょうねぇ……（笑）。それこそが、未だによくわからないんです。

沢木　単純に才能の問題という言い方を当てはめるのは将棋の場合、どうなんです？

先崎　才能っていうのは、やっぱり本人が考えるものですよね。

沢木　ほぉー。ふつう才能の有無というのは外部の眼で判断されるように思うけど、先崎さんは当人だけの問題だというわけですね。

先崎　本人が、自分は才能があると思うこと、それがすごく重要だと思うんです。つまり自信ですよね。

沢木　うんうん。

先崎　何かの時の心の支えみたいなものが才能で、ものすごく曖昧なものだと思います。

沢木　つまり自分を信じる能力、それを支えるのが才能だということ？

先崎　その通りです。自分を信じられるということですね。

沢木　やっぱり、厳しい世界を生きてますよね、先崎さんは。

先崎　いえ、そんなことも……。

沢木　僕ね、すぐにまた韓国に戻るんですけど、ソウルに部屋まで借りてワールドカップを二十何試合観るという自分を、改めて、何て祭りが好きな人間なんだろうと思ったわけです。もうちょっと自分は腰の落ちついた人間かと思ってたけど、お祭りがあると腰が浮いちゃうタイプだったんだな（笑）。

先崎　あぁー、なるほどね。僕は全く浮かれないタイプで、お祭りなんか全然好きじゃなくて。

沢木　僕、池上本門寺の傍で育ったんだけど、十月に必ずお会式《えしき》というのがあるんですよ。二日か三日にわたって参道にありとあらゆる露店が何百軒も並ぶんだけど、そこを万灯が練り歩くんですね。

子供の頃は、もう数日前から胸がわくわくするんですよ。大したお小遣いもないのに、「何を買おうかなぁ」と思ってね。だから、お会式が終わった翌日は、すごくガッカリしたのを覚えてるの。

先崎　祭りの後はイヤですねぇ、ほんと。

沢木　先崎さんは、どういう時、胸がわくわくするの？

先崎　うーん……僕、本来がすごく内気で恥ずかしがり屋なんですけど……。だから、お酒飲んで喋《しゃべ》ってる時かな（笑）。

沢木　ハッハッハッ。

先崎　だから今は楽しい（笑）。

沢木　それは嬉しいな。そして、自分の本が増刷になった時ね？

先崎　あ、そうですね（笑）。

沢木　今度のご本も、是非そうなることを祈ってます。

先崎　ありがとうございます。

ソウルで話そう

福本伸行
沢木耕太郎

ふくもと　のぶゆき　一九五八年、神奈川県生まれ。漫画家。

十年ほど前、私の友人のカシアス内藤がステージⅣのがんになり、生きているあいだにボクシングジムを作ろうということになった。資金は私とカメラマンの内藤利朗が調達し、内装などはカシアス内藤の高校時代の友人などが面倒を見てくれることになった。さまざまな困難を乗り越え、なんとか形を整えることができかかったが、最後の段階で資金が不足しはじめた。そこで、私たちの知人に「寄付」ならぬ「出資」を呼びかけることになった。一口一万円で「株主」になってほしい。「出資金」は永遠に返還されないが、将来、ジムからタイトルマッチを戦うようなボクサーが生まれたら、その試合のチケットを「配当」として無償で贈らせていただく、というものだった。この、いささか虫のいい呼びかけに、しかし多くの友人知人、未知の人が応じてくれた。

こうしたなか、ためらいながら福本さんに「出資」をお願いする手紙を送ったところ、快く応じてくれただけでなく、思いがけない口数の「出資金」を振り込んでくださった。その頃はとりわけ軍資金が乏しくなっていた時期だったので、福本さんの「出資金」はありがたかった。

たぶん、そこには『カイジ』の印税の一部も混じっていたことだろう。だから、私は、いつも行かなくてもいいはずの「恐怖の博打場」にふらふらと紛れ込み、命を擦り減らすようにして博打をするカイジを、「まったくなあ」とつぶやきながらも応援しつづけなくてはいけないことになっているのだ。

この対談は「オール讀物」の二〇〇二年八月号に掲載された。

（沢木）

二人の関わり

沢木　わざわざソウルまで来てくれてどうもありがとう。福本さんとは昨年の春、世田谷文学館というところで公開対談をしたんですが、なんとなく中途半端になってしまって、ようやくその続きが実現できて胸のつかえが下りました。もっと早くできればよかったんですけど、あれから、乗っていた飛行機が墜落したり、いろいろあったもんですから(笑)。

僕はワールドカップの取材でこのところ韓国に滞在しているんですが、福本さんはこちらは初めてですか?

福本　はい。アジアは中国を自転車でまわったのを皮切りにいろいろ行きましたが、韓国はまったくの初めてです。しかもこの対談のついでに、ワールドカップ準決勝のドイツ対韓国戦をスタジアムで見られるなんて、こんなに幸せでいいのかと思ってます(笑)。

沢木　もしかしたら、「オール讀物」の読者は「福本伸行」という名前を聞いても何者かわからないかもしれないので、僕から説明しますね。いいですか?

福本　お願いします。

沢木　以前、僕は朝日新聞で「彼らの流儀」と題して、さまざまな人たちの人生のある一瞬を切り取るコラムを連載していたんです。あるとき、4コママンガを描いている女性と出会いました。彼女は描いたものをコピーして知り合いに配っているだけで、お金にはぜんぜんならない。全く無意味ともいえるような行為なんですが、でも彼女の描くキャラクターは柔らかなタッチで、僕はとても好きだった。どうしてこんなことをしているのか、とても興味深くて、彼女のことをコラムで書こうと思ったんです。それで何度か会っているうちに、彼女はお金がないのでアルバイトに行っているという。どこに行ってるのと聞くと、ヘンな漫画家のアシスタントをしているというんですよ。「博打の好きなヘンな男ばかりのヘンなところなんです」ってしょっちゅう言ってたんですが、僕はそういうのはなんだか危ないんじゃないかと思っていたんですね(笑)。

そうしたらある日、「結婚しました」と報告を受けました。その相手が、アシスタントに行っていた先の福本さんだったという次第で、それからときどき一緒に顔を合わせるようになったんです。

福本 こんな感じでいいですよね(笑)。

沢木 はい。まったくその通りです(笑)。

福本 ところで、いまはアシスタントに女性はいるの?

沢木 まったくいません。

福本 どうして?

沢木 風紀が乱れるから。

福本 ハッハッハッ。とにかく、そうやって結婚されたのが十年くらい前で、その頃から福本さんのマンガは、麻雀を題材にした『アカギ』や、マネーゲームの世界を描いた『銀と金』といった作品が玄人筋では高く評価されていたわけですが、九六年にヤングマガジンで連載が始まった『賭博黙示録カイジ』が大ヒット作になったんですね。失礼ですけど、『カイジ』の単行本はどのくらい売れているんですか。

福本 「賭博黙示録」篇は十三巻で完結したんですが、総計でだいたい三百万部くらいですね。いま

「賭博破戒録」篇に入っていまして、そちらも六巻まで刊行されています。

沢木　僕らの世界とは、桁が一つ違うな(笑)。そうそう、『カイジ』のストーリーも説明しておいたほうがいいかもしれませんね。

主人公は、伊藤開司という二十一歳の青年です。彼は東京に出てきてから三年くらい経つのに、何の目標もなくふらふらしていて、つまらない博打《ばくち》に手を出しては負け続けている。そして、いらいらがたまってくると、駐車してあるベンツに十円玉で疵《きず》をつけてまわったりする、どうしようもない若者なんです。

そこにある日、借金取りがやってきます。カイジはうっかり友だちの保証人になっていたんです。借りたときは三十万円だったのが、月二〇パーセントの複利で転がって、今では三百八十五万円になっている。そんな借金を払う義務はないとカイジは突っぱねるんですが、取立屋は「パートで働いている母親や、公務員のお姉さんに泣きつけば何とかなるだろう」と彼を追い込んで行くんですね。

ここから、破天荒な話が始まります。借金取りがある提案をするんです。東京湾に浮かぶ船――「エスポワール(希望)」号というふざけた名前なんですが――に乗って、一晩ゲームをし、そこを勝ち抜けば借金が棒引きになる。ただし負けるともっとひどい目に遇う、というものです。カイジが口車にのって船に乗り込むと、そこには彼と同じような、借金でクビの回らなくなった若者たちが大勢集まっている。そこであるゲームをすることになるのですが……この「限定ジャンケン」というゲームのアイデアは誰が考え出したんですか。

福本　僕です。『カイジ』はもともと前後篇六十ページ程度の企画だったんですが、この「限定ジャンケン」というゲームを考えついて、そのページ数ではとても無理だと、長期連載することになったんです。

沢木　いろいろなところで評判になりましたが、その「限定ジャンケン」がこのマンガの前半の推力になります。

「限定ジャンケン」というのは、まずグー、チョキ、パーを描いたカードを四枚ずつ、計十二枚と、星の形のバッジを三つ、全員に配ります。そして、相手は誰でもいいからカードを出してジャンケンポンの勝負をするんです。負けた人は勝った人に星を一つ渡さなければならず、星が三つともなくなったら失格で、どこか地獄のようなところへ連れていかれてしまう。

ゲームは四時間以内、最初に配られたカードを全部使い切って、星が三つ以上残っていれば生き残れる。与えられる情報は、どのカードが何枚使われ、その場にまだ何枚残っているかだけ。これはとてもよく考えられている仕組みで、ここからさまざまなドラマが展開していきます。

ただ、この条件だと、たとえば信頼できる相手を探し出して、十二枚連続で引き分けにすればカードを使い切ったうえに星は三つ残りますね。

福本　もし相手を信用しきれるなら、それが一番簡単なんですが……。

沢木　しかし、どん底にいる連中だから何をするかわからない。ぜんぶ「あいこ」にしようと誘っておきながら、裏切って星を奪う奴もいる。金はその場でさらに借りられることになっているから、窮地に陥った奴はいくら出してもその星を手に入れようとする。つまり、三つ以上の星は何百万かで売れる訳ですよ。だから、信頼できるのは結局自分だけだとだんだん理解していく。みんな疑心暗鬼になりながら、濃密な「読み合い」が展開されていくんです。

福本　ジャンケンだから、勝ち負けはほぼ五割の確率のはずですが、こうしてさまざまな条件をつけることで、単純な勝負のなかに心理戦の要素が加わっていきますよね。ギャンブルのなかに、イカサマをする奴の悪意や、それを見破って打開する人間の知恵が見えてきて、そこにドラマが生まれる。まさにそれが、僕の描きたかったことなんです。

沢木　ほんとうに、単なるジャンケンが果てしないドラマを生んでいく。主人公の青年はこの後も、借金取り側が次々に設定する、さまざまな博打を通して人間の本質を学んでいくことになる。『カイジ』はギャンブルを通した一種の成長物語ということもできると思います。

福本　『カイジ』には、限定ジャンケンのあと、「賭博黙示録」篇で鉄骨渡り、Eカード（皇帝、市民、奴隷を象《かたど》ったカードによるゲーム）、ティッシュペーパーの箱を使ったくじ引き、「賭博破戒録」篇でチンチロリン、パチンコと、さまざまなギャンブルが登場するんですが、沢木さんのお話に出たように、相手や胴元の心理を読むことで次々に危地を乗り越えていく、というストーリーです。

沢木　主人公の「カイジ」は、マンガの冒頭ではあんなどうしようもないガキだったのに作中で経験を積んでいるうちに、情報に対する反応の仕方をみても無鉄砲な行動を取らなくなったし、人間的にずいぶん成長している気がするけど、そこは意識的に描写しているんですか。

福本　それはどうでしょうか……。『カイジ』は連載を始めてからもう六年もたっていますが、作品のなかではまだ一年くらいしか経過していないんです（笑）。

沢木　そうか、星飛雄馬が大リーグボールを一球投げるのに二十ページが費やされるという、あれと同じですね（笑）。それにしても、ずいぶん濃密な一年だよなあ。

福本　僕のマンガではよくあることなんですが（笑）。

沢木　登場人物たちは作中で考えに考えるからね。いくらでもページが必要になるんだろうな。でも、最近の回を読んでいると、このカイジ君、ずいぶん思慮深くなって、地獄のようなところで知り合った仲間たちからもこれだけ信頼され慕われているんだから、普通の会社勤めなんかしても、けっこう出世するんじゃないかという気もしますけどね(笑)。

福本　その点については作者の僕は疑念がありまして(笑)。人間はそんなに急に賢くはならないような気がするんです。

たとえば僕はマンガ一本で食えるようになったころ、グレイハウンドのバスでアメリカを旅したことがあるんですが、あの国のフレンドリーさというか、人の心を開かせる力にとても感動したんです。見知らぬ同士が「ハーイ」なんていきなり挨拶したりして(笑)。それに困難な場面も自分ひとりの力で切り抜けたりしているうちに、われながら人間力が向上したような気がしました。それで帰りの飛行機のなかで、「日本でもこのテンションのまま暮らして、いい人間になるぞ。英語も勉強するぞ」なんて決意したんですが、戻って一週間もしたら元の木阿弥《もくあみ》で、知っている人にも挨拶しないくらい(笑)。だからカイジも、この借金地獄から生還できたとしても、きっと同じような失敗を繰り返していくような気がします。

沢木　そうか、カイジはシャバに戻ることができても、やっぱりひりひりするような勝負の快感が忘れられなくなるのかもしれないね。

鼻血で迎えた二十歳

沢木　『カイジ』の話はひとまずおくことにして、福本さんは、そもそもどうして漫画家になったんですか。

福本　中学生の頃から、漠然と憧れてはいたんです。ですが、工業高校を卒業すると進路指導の先生に勧められるまま土木関係の会社に入って、現場監督をしばらくやっていました。ところが二カ月目くらいに、現場の主任から「福本は覇気《はき》がない」と言われたんですよ。

沢木　『カイジ』にも同じようなことを言われる奴が出てくるじゃない(笑)。

福本　さすがに覇気がないと言われるのはまずいと思いました。若者から覇気を取ったら、何も残らないでしょう(笑)。建築の仕事はとても面白かったんですが、でも一級建築士になるには、たいへんな努力が必要ですし、同じ努力するなら自分の好きなことをしようと決意しました。それで、小説家になろうか、漫画家になろうか、役者になろうか、フォークシンガーになろうかと迷った末に……。

沢木　へェー、歌手という選択肢もあったんですか(笑)。

福本　すいません、根がミーハーなもので(笑)。それでマンガを描き始めて、出版社に持込みをするようになったんです。

沢木　子供のときからマンガを描いていたの。

福本　高校生のとき鉛筆で十二ページぐらいのマンガを描いたことはありました。タイトルは「ケンカ野郎」。

沢木　え？

福本　第二作目が「ボクシング野郎」。もう、そのレベルです(笑)。

沢木　どういうストーリーなんですか？

福本　いや、ただ、すぐにケンカするという(笑)。

沢木　それで漫画家に。かなり大胆だね(笑)。それで、出版社に持ち込んだ最初の作品というのはどんな感じのものだったの。

福本　いま見るとひどいものです。初めてペンを使ったから線が歪《ゆが》んでいるし、デッサンも目茶苦茶。スクリーントーンも知らないから、バックは薄墨で塗ってある(笑)。さすがに編集者に「君、明日にでもどこかへ弟子入りして、少し実力を蓄えたほうがいいよ」と言われて、今、ゴルフマンガで有名なかざま鋭二先生のアシスタントに入りました。

沢木　それは編集者の紹介という形だったんですか。

福本　いえ、連絡先だけ教えてもらって直接行ったんです。最初、先生は僕を採るつもりはなかったようでした。でも、直接お話をして、「じゃあ頑張れるか」なんて言われたから元気よく「はい！」と答え、そしてお互いの目が合ってキラキラキラと(笑)。

沢木　少年マンガみたいなことが起きたわけですね(笑)。

福本　それが好印象だったみたいでお世話になることになりました。

沢木　当時はどれくらい給料をもらっていたんですか。

福本　月四万円でした。住み込みだったので二万円は食費に消えてしまいましたが。

沢木　今は福本さんのところにもアシスタントがいっぱいいるでしょ。その人たちも四万円ぐらいなの。

福本　いやいや、それはないですね。僕の話は二十四年前のことですから。今はみんなちゃんとお金を払いますね。

沢木 二十四年前の四万円で二万円食費をとられ、二万円でどうやって生活してたんですか。

福本 たまに映画を見たりとか……もしかしたら少しぐらい貯金していたかもしれない（笑）。

沢木 アシスタントになると、いろいろと手伝うんでしょ。

福本 そう、背景とか仕上げとかね。

沢木 そういうことでマンガの世界の約束事みたいなものを学んでいくんですか。

福本 いわゆるストーリーマンガは、背景を描けることが最低限の技術なんですよ。その技術を得るためにアシスタントに入るというのは悪くない選択だと思います。

沢木 ストーリーづくりもアシスタントで学べるものなの？

福本 それは別問題だと思います。ただ、アシスタントをしていると、編集者にも知り合えるし、仕事がどういう段取りで進んでいくかを実感できるというメリットはあります。

沢木 アシスタントをしながら漫画家として独立していくというプロセスを教えてくれますか。

福本 僕は、かざま先生のアシスタントになっても絵が全然上達しなかったんです。普通、アシスタントは三、四年は、いるものなんですけど、僕は一年半でクビになりました。

沢木 クビになったの？

福本 かざま先生には、何度も「もっと練習しろ。俺は人に練習しろって言うのが嫌いだから、滅多に言わない。だから、俺が言ったら十倍に感じてくれ」と（笑）。普段から十倍感じていたけど、結局ダメでした。

ある日、話があると喫茶店に呼び出されて、「フクちゃんはウチには向かないから、辞めたほうがいいんじゃないかな」と言われて……。

沢木　それは絶望的になったでしょう。

福本　絶望的でしたね。「フクちゃんは性格ががさつだから、漫画家のような仕事は向いていない、職業的にはトラックの運転手とか……」(笑)。

沢木　なるほど、とうなずいちゃいけないな(笑)。

福本　トラックの運転手も悪くないんですけどね。そこで、どうしようかと思って一回トイレに立って考えたんですね。「いま土下座して頼めば置いてくれるだろうけど」なんて思ったんですけど、席に戻って、「わかりました」と言いました。それが十二月八日なんです。それでいつ辞めるかという話になって、三月に新人が入ることが決まっていたから、それまでいますと言ったら、「いや、フクちゃん、ウチのことは全然考えなくていい。君の思った通りにやってくれ」って(笑)。じゃ、年内、十二月いっぱいまでと言うと、「いや、そういうことも考えないでくれ」(笑)。

沢木　要するに、すぐに辞めてくれと(笑)。でも、そのとき土下座をしていれば現在の福本さんはなかったわけだし、まったく別の福本さんが存在することになったかもしれない。とても不思議なことだよね。

福本　それで翌日の九日には引っ越したんです。家賃は九千円、共同便所でした。その日は引っ越しのどさくさで三十時間以上寝なかったんですが……でも元気で。

沢木　なんだかハイになっていたんですね。

福本　迎えた十日は僕の誕生日だったんです。それで「あ、俺、二十歳になったんだ」と思ったら、突如、鼻血が出てきた(笑)。

あのときは、いま人生の底にいるんだなあと感じましたね。

沢木　その時が底の底でしたか。もっと下には行かなかった？

福本　底でしたね。翌日から新聞配達や喫茶店でアルバイトをしながら、持込み用の原稿を描いてました。でも、そこからデビューまでは意外にすぐだったんですよ。

沢木　そこに行く前に、アシスタント時代の話をもう少し知りたいんだけど、具体的にはどんな仕事をするの？

福本　うーん、たとえば仕上げという仕事は、まず鉛筆で描いたところを消しゴムで消して、ベタの部分を塗ります。

沢木　ベタって墨の部分？

福本　そういうことですね。それではみ出ている部分をホワイトといってポスターカラーの白を筆につけ、消していく。それが終わったら、最後はスクリーントーンを貼って、削ったりして……けっこう退屈な作業なんです。

沢木　そんなの誰でもできそうじゃない。

福本　誰でもできる……ね(笑)。

沢木　仕事が丁寧じゃなきゃダメだけど、そんなに大変な仕事じゃないよね。

福本　仕上げのときは、時間に追われちゃうんですよ。それを何時までの締切までにやらないといけない、それで寝られないとなると、真っ直ぐ線を引こうを思っても引けないとかね。そういう状況がときどき生まれる。僕がアシスタントをしていた頃は最後は寝ないでやっていましたから。

沢木　その間に自分の技術を上達させるためには、どんな練習をするんですか。

福本　背景を描く練習ですね。精密な建物でも描いておくと何かと使いやすいんですよ。
沢木　それは習作することで上手くなるものなの？
福本　沢山描けば、それだけ上手くなりますね。
沢木　それをあまりやらなかった。
福本　僕はダメでしたね。とくにかざま先生の背景は精密でしたから。
沢木　それでも、持ち込みができる程度の作品を描いていたんですか。
福本　アシスタント時代は流されてしまうところがあって、仮に一生懸命やっても年に二本も描ければ相当頑張っているという状況なんです。ぼくはアシスタント時代は描けなかった。かざま先生のところを出てから本格的に描くようになったんです。
沢木　アシスタント時代も、こういう物語は描きたいというイメージはありましたか。
福本　ええ、ありました。僕、高校生の頃、ちょっとだけキックボクシングをやっていたんです。それをテーマにしてまず一作目を書き上げました。
沢木　それは持ち込んだんですか？
福本　持ち込んだけど、アウト(笑)。一カ所じゃなくていろいろ持ち込んだけどダメ。で、次の作品を「少年チャンピオン」に持ち込んだときに初めて面白いと言われたんです。
沢木　それは何だったの。
福本　学園コメディでした。
沢木　初めて商業誌に載った作品はどういう内容ですか。
福本　次に持ち込んだ作品が「月刊チャンピオン」に載りました。「よろしく純情大将」という読み切りの学園コメディです。そのうちにちょっと面白いからと本誌に掲載するチャンスをもらったんです。

沢木　本誌って週刊の「少年チャンピオン」？

福本　僕と入れ替えで連載が終了したのが、なんとあの「がきデカ」だったんです。しかし始まったのはいいけど、全然人気がなくてね、結局四、五週で終わってしまいました。

沢木　最初から期間は決まっていたの。

福本　よければ続くんだろうけど、編集の方って人気次第で本当に手のひらが返るんですよ。

沢木　そこが不思議なところなんだけど、どこの少年マンガ誌も読者アンケートっていうのがありますよね。その結果によって情け容赦なく切られるというのが本当にあるわけですか。

福本　当然ですね。

沢木　アンケートってそんなに正しいの？

福本　正しいみたいですよ(笑)。それで、「少年ジャンプ」や「少年マガジン」は部数を伸ばしたんですから。編集者の好みを徹底的に排除して、それで結果的に成功したんだからしょうがないんでしょうね。

沢木　懸賞付きのアンケートの人気投票が、だいたいの人気を反映していると考えるのね。

福本　そうです。でも、人気投票はトップ三位までの順位を調べたいんじゃないんです。十二位、十三位、十四位までを本当は調べたいんです。

沢木　なるほど。

福本　何を切るかというシビアな情報を知りたいんですね。

沢木　それで、最初の連載はあえなく四、五週でカットされたんですね。そのとき編集者は何て言うの。

福本　まだ若いし、また頑張ろうよってことですね。ほかの出版社に持っていくなと言われましたけど……結局持っていきました。

沢木　それで持っていってどうだったの相手は？

福本　そのとき僕に興味をもってくれたのが「ヤングマガジン」なんです。そのうち「ヤングマガジン」で応募したマンガが新人賞や、その後、「モーニング」でちばてつや賞をとって賞金、百万円もらったんです。

沢木　それで食ってはいける。

福本　食ってはいけないけど、アルバイトを三年ぐらい続けて、二十四歳でなんとかマンガだけで食べられるようになりました。

沢木　それはよかったね。

福本　マンガで食えるようになってから、初めて沢木さんのようなちょっとした旅行をしはじめたんです。沢木さんのように十日仕事して、十日取材して、十日ふらふらするという、その線で行きたいと思っていたんです。だから、一カ月半、アメリカをグレイハウンドバスで回ったり、中国を自転車で走ったりという旅行を何回かやっているんです。それが僕の二十五、六歳のことです。

「ビッグ・ウエンズデー」を待つ

沢木　そういう生活に入る前のお金のない頃にも、博打はやっていたんですか。

福本　いや、むしろ普通の人よりやっていないくらいです。中学生のとき覚えた麻雀は少しだけやっていましたけど。

沢木　『カイジ』にしても『アカギ』にしても、福本さんは賭博《とばく》をテーマにすることが多いですよね。どうして賭博を扱おうと思ったんですか。

福本　「近代麻雀」というマンガ誌で『天』という作品を描いたのが契機になったんですけど、どうなんでしょう(笑)。いろいろな意味で向いていたんでしょうねえ。

沢木　日本人って、野球を見ている時でも、ピッチャーがどのコースにどんな球種を投げるか、サインを交換している間に考えるのがとても好きですよね。一方、メジャーリーグから受ける印象としては、どうもアメリカ人はそんなことお構いなしのような気がする(笑)。たぶん日本人は、そういう「間」というか、展開を読む時間、想像する時間のあるものが好きなんでしょう。福本さんのマンガの魅力もたぶんそこにあると思うんです。実際の麻雀は、ツモって切るまで、すごい速さでやってるんだけど、マンガでは一つの牌を切るかどうか、極端にいえば連載一回分迷い続けてもいい。

福本　実戦でそんなことしてたら怒られちゃいますけど(笑)。

沢木　福本さんは、ストーリーをつくる上においても、実生活においても、物事をあでもないこうでもないと考えるのが好きでしょう。

福本　好きですね。いつも近所のファミリーレストランで構想を練っているんですが、あまりに感動的なことを思いついて、一人で涙ぐんだりして。

沢木　それ、ちょっと気味悪がられてるんじゃない？(笑)。福本さんは実際の麻雀の腕はどうなんですか。

福本　自分でやる麻雀は強くないし、深く考えたところでよくわからないんですけど。あ、でも、先日の漫画家麻雀大会では珍しく優勝させてもらいました(笑)。

沢木　僕は最近、麻雀もほとんどやらないし、競馬・競輪は、賭けの基本的な部分を自分でコントロールできないのが嫌でやらない。せいぜいカジノへ行って、バカラをやるくらいなんですが、そこに必勝法があるのかないのか、あるとしたらどうすればいいのか、ずっと考えているのはとても楽しいですね。

福本さんは最近、カジノに行っていますか。

福本　いいえ、ちょっとご無沙汰してます。

沢木　僕はこのところ、バカラをやるときは、自分で編み出した方法論を貫徹できるか、という点に集中しているんですけど、福本さんはどんな部分を楽しむんですか。

福本　僕もすごく沢木さんに近いですね。自分の方法論にどこまで忠実にできるかが一番大きい。その方法論がどれだけ有効なのか、確かめたい気持ちが強いです。

沢木　あるいはどれだけ有効ではないのか、とか(笑)。

福本　それから、五十万円持っていったとしたら、五十万百円で帰るか、四十九万九千九百円で帰るかは、雲泥《うんでい》の差だという意識でカジノに向かいます。

沢木　自分の方法論を一つ一つ試していくと、それが崩壊していく瞬間が必ずありますよね。それは悔しいけど、どこかでこんなに簡単に必勝法がわかってしまったらつまらないとも思っている。でも、その試行錯誤を無数に繰り返していくうちに、こんな状況ではこう対応する、こんなときはこう賭けると傷が少なくなるというようなことが体験的にわかってくる。だからそうは負けなくなる。しかし、それは一種の条件反射的なもので、万人のためのものとして言語化できないものなんですね。それを、言語化できれば必勝法の理論化につながるとわかっているんですけど、それがなかなか……(笑)。

福本　僕はカジノでは大小(三つのサイコロの目の合計が、ビッグ(11以上)かスモール(10以下)かに賭けるのが基本。ほかにもさまざまな賭け方がある)が好きな種目なんですが、僕の方法論は地味ですから、うまくいかないときは、じわじわ、じわじわと負けていくんです。いろいろなことがありましたけど、僕のこれまでの人生はわりと恵まれていると感じているんですが(笑)、そうやって負けが込んでいるときは、別の誰かの人生を疑似体験している気になりますね。「このハマり方はすごいな、やることなすこと、こんなに全部ウラ目に出るのかよ」という(笑)。

沢木　バカラにしても大小にしても、みんなカードやサイコロの出目を記録しながらプレーしてますよね。

福本　はい。あれをきちんとつけていないと、全然面白くない。

沢木　たとえばバカラで、すこし前と同じような目の出方をしているとき、次はまた同じだろうと判断する人と、今度は違うだろうと判断する人に分かれます。確率はしょせん五分五分だから、勝ち負けはあまり関係ないとしても、その読み方とリアクションの仕方に、その人のすべてが表現されてしまうという感じはありますね。もちろん個人差も大きいんだけど、中国人とバカラのテーブルを囲んでいると、彼らが次にどう賭けるか、大体わかりますね。どうやら彼らには「歴史は繰り返す」という感じの認識の型があるようなんです。丁半でいえば、丁、丁、半、丁、丁ときたら、次

は やはり半なんだという考え方ですね。

福本 なんらかの情報が与えられたときに、何を読み取って、どう反応するかには、どうしても個性が表れてきますね。

沢木 全部はタダでは教えられませんが(笑)、僕の方法論を少しだけお話ししますね。

福本 それはぜひ伺いたい(笑)。

沢木 たとえば百円玉を投げて、表が出るか裏が出るか、という設定にしましょう。まず最初は、表も裏も確率はまったくの五分五分ですね。そこで表が出たとする。さらに次も表が出たとする。さて次にどちらに賭けるか。

福本 次も確率としてはどちらも五割ですよね。

沢木 僕は絶対に表に賭けなければダメだと思ってるんです。そこで表だったら、その次も必ず表に張る。というのも人間は、何か根拠がなければ大きくは賭けられないんだけど、目が連なるときだけは何も考えずに張ることができる。逆に目がジグザグに動いたとき、右か左か、裏か表かと判断するのは難しい、というか不可能なんです。

要するに「ツラ目」を追うということですが、確率五割のギャンブルでは必ず「ビッグ・ウエンズデー」みたいな大きな波が来る。同じ目がしばらく出続けるんです。波が大きいのか小さいのかは終わってみないとわからないんだけど、その瞬間を捉えられるか否かが、勝つための唯一の条件だと僕は思っています。

では、その波にどう遭遇し、どう捉えるのかという話になるんだけど……、それは極秘事項(笑)。というか、それが明確に言語化できれば必勝法を編み出せたということになりますけどね。この話はまあ、これくらいで止めておきましょう。

福本 そういえばソウルの郊外にもカジノがありましたね。あとで行って、実践してみてくれませんか(笑)。

僕が大小をやっているときでも、五回ビッグが続いたから次もビッグに張ればいいのに、大きくは賭けきれないという経験は確かにありますね。

沢木 だんだん自分との闘いという感じになってくるんですよ。でも、博打場で、そうやって自分と対話しているという感じは悪くないと思いますね。

ワールドカップの運と不運

沢木 明日はいよいよ準決勝だけど、まさか韓国が勝ち上がってくるとは思ってもいませんでしたね。

福本 ほんとそうですね。

沢木 ワールドカップはこれまでご覧になっていましたか。

福本 仕事の合間を縫って、テレビにかじりついてました。日本代表の試合を見ながら、もし自分がエース・ストライカーだったらどうだろうとか夢想したりして(笑)。

沢木 ほんと？ 僕もそうとうの夢想家だけど、さすがにもう自分がエース・ストライカーだったらとは思わないな(笑)。

福本 ハッハッハッ。僕の中のベスト・マッチは決勝トーナメント一回戦の韓国対イタリア戦です。素晴らしい試合で、感動しました。

沢木　一点を先制された韓国が試合終了直前に追いつき、最後は前半に大事なＰＫを外していた安貞桓がゴールデン・ゴールを決めるという劇的なゲームでしたね。

福本　同じ日の午後には日本がトルコに淡々と負けていたから、とりわけ印象に残ります。あの夜、韓国はイタリアとも戦ったけど、日本とも戦っていたんでしょう。

沢木　確かにそうですね。日本は選手たちもサポーターもクールでしたね。それに対して韓国はすべての試合に「死に物狂い」という感じがあった。今日、「死に物狂い」という古くさい表現が有効性を持つ国というのは、韓国のほかは、世界を見渡してもそれほどないかもしれませんよね。

福本　これは僕の友人が言っていたことですが、日本のグループリーグ第一戦、ベルギーとの試合で、日本はベルギーに一点先制されますよね。するとテレビのカメラが観客席を映すんですが、日本のサポーターは「ああ、やっぱりか」という顔をしていた。やはりヨーロッパのチームは強いと思っているところがどこかにあったんでしょうね。ところが、韓国がイタリアに先制されて、同じように観客が映し出されると、茫然《ぼうぜん》として、心の底から信じられないという表情だったというんですよ。

沢木　たしかに傲慢とも無知とも表現できるんだけど、それこそが今回の躍進の原動力になっているんでしょうね。

福本　日本はベルギー戦で一点取られた直後、鈴木隆行が同点ゴールを決めますよね。沢木さんもお書きになっていましたが、これがちょっと早すぎたとは確かに感じました。

沢木　鈴木のあのシュートが決まったのはほんとうにラッキーだったんだけど、日本代表のその後の戦いにとって良かったかどうかはわからない。というのは、グループリーグの三試合で相手にリードを許したというのは、あのわずか数分間しかなかったわけです。あとはロシア、チュニジアに危なげなく勝って、ひょっとしたら負けてしまうかもしれないというじりじりした感覚を味わうことなくスマートに決勝トーナメントに進んだ。一方、韓国はポーランドには勝ったものの、アメリカに苦戦して、ようやくのことで引き分け。ポルトガル戦では微妙な判定なんかもあったけれど、ひりひりするような勝負の末、勝ち上がってきた。

日本も韓国も、同じようにグループ一位だったけれど、チームの熟成度にはすこし差があったような気がする。簡単に勝ち抜けた幸運、簡単にはいかなかった不運が、次の瞬間には逆の結果をもたらすという対比が僕にはすごく面白かった。

福本 僕が残念なのは、日本と韓国の試合の順番が逆だったら、ということなんです。あの韓国の試合を見ていたら、日本の選手たちも雨のなか、もっと燃えたんじゃないかと思います。

沢木 たしかに日本のあの戦いぶりを見ると、選手たちは完全燃焼していないんじゃないか、燃え尽きていないんじゃないかという感想を持ちますね。

福本 そうそう、『一瞬の夏』のカシアス内藤を見るような……。

沢木 ただ韓国が今回勝ち進んだのも、必ずしもハッピーなことばかりでもないらしいんですよ。韓国サッカーのシステムというのは相当に疲弊していて、本当はドラスティックな改革をしなければいけない時期にあるんだそうです。だけどこの成功で、改革への動きは確実に遅れる。長期的にみれば幸運と不運は渾然一体《こんぜんいったい》となって、どんどん判然としなくなってくる。

福本 僕らがワールドカップをグループリーグからこれほど熱心に見たというのは初めてのことでしょう。日本と韓国の関係だけでなく、グループごとに一戦一戦状況が次々に変わっていきましたよね。たとえば優勝候補とされていたアルゼンチンが早々に敗退しましたけど、ああいう劇的な状況の変化というのは、抜群に面白かった。

それからもう一つ、サッカーの代表チームは、やはりその国の国民性から自由になれないというのも痛感しましたね。日本代表はどうしても日本的だし、韓国代表はどこまでいっても韓国そのものだし、という。

沢木 それは確かですね。日本代表についてもっといえば、僕はトルシエという監督にはすごく批判的なんです。彼のことはどこかにきちんと書くつもりなんですが、一つだけ、決勝トーナメントのトルコ戦で、それまで機能していたフォワードを、西沢とアレックスという練習でも試したことのない組み合わせに替えたでしょう。博打でも、勝っているときに目を動かさないのはさっき話したように鉄則なんだけど、あれはトルシエが選手たち——彼は「わたしの子供たち」という気持ちの悪い呼び方をしますが——を最後の最後に信用できなくなったことを露呈した采配だと思いましたね。

波乱の人生、堅実な人生

沢木 子供たちといえば(笑)、福本さんのところの坊やたちは、もうずいぶん大きくなったんですよね。

福本 はい。上から九歳、六歳、四歳になりました。全部男の子なので「フラット3」というかハットトリックというか(笑)。

沢木 ハッハッハッ。ほんとにハットトリックですね。福本さんは漫画家として満足感の大きな人生を送っているとご自分でもおっしゃっていましたけど、父親としては彼らにどんな道を歩んでほしいと思っていますか。カイジのように博打的といっては大袈裟だけど、波乱に満ち溢れた人生か、平坦でも安定した生活かといえばどちらですか。

福本 楽しいな、面白いな、という充足感を感じられる境遇にあれば、どちらでもいいと思いますね。幸運も不運も自分の責任で抱え込んで、みずから選んだ道を進んでくれれば、それでいいです。

沢木 僕の親父は非常に真面目な人だったけれど、山あり谷ありの人生を肯定する気持ちがとても強かったらしいんですよ。彼が亡くなってから初めて、おふくろに聞いたんですが、僕が大学を卒業して就職した会社を一日で辞めてしまったとき、親父はとても喜んでいたという。僕のところは娘だけで男の子がいないから、息子が堅気の道から外れたときにそういう反応をするという気持ちがよく理解できなかったんですが、最近なんとなくわかってきました。

福本 いくら一流企業でも、サラリーマンは型にはめられてしまうようなイメージはどうしてもありますからね。

沢木 現実に僕に息子がいたら「せっかく大企業に入ったんだから、我慢しろよ」とか言ったりするのかもしれないけど(笑)。

福本 「僕もユーラシア大陸へ旅に出ます」とか言い出すんじゃないですか。しかも「お父さんとは逆まわりに」とか(笑)。

沢木 それは「おお!」って喜びそうだな(笑)。でもやっぱり、男の子にはなんだかわからない博打的な人生を歩んでほしいという願望は少しあるなあ。僕の親父もきっとそうだったんでしょうが。

福本 沢木さんのお父さんはどんな方だったんですか。

沢木　真っ当な仕事には就いていなかったけど、博打的というのとはまったく違う、家族思いの善良な人でした。ただ、近ごろ親父のことをときどき考えているんですが、無頼《ぶらい》というのは酒や女や博打に走り、借金漬けになるという、わかりやすい外面上のものだけではなくて、市井《しせい》に普通に生きていても、本質的に無頼の精神を持っている人は実在するだろうと思うんですよ。親父が喜んでいたとおふくろから聞いて、彼はそんな精神の持ち主だったんだろうなあと感じました。

福本　僕自身もそういう意味ではかなりヤクザな人生を送ってきたと思うんですけど、これまでを振り返ったときに、才能っていったいなんだろうというのが最大の謎なんです。

アシスタントをクビになったり、賞にいくら応募しても手が届かなかったり、せっかく始まった連載があっさり終わっちゃったり、漫画家への道を断念してもおかしくないような場面が何度かあったんですよ。だけど僕はいま、ある程度の実績ができたので、漫画家としての才能があるかどうかと聞かれたら、おそらく「ある」といっても誰にも叱られないでしょう、きっと。

沢木　もちろん。

福本　一方で、沢木さんもそうですが、若くして大メジャーになる人だっていますよね。なのに俺はどうしてもっと早く売れるようにならなかったんだろうと考えるんです(笑)。たとえば北野武さんという方がいて、今ではカリスマですが、あの人だって漫才ブームまではずっと下積みだった。

沢木　僕はむしろ福本さんより遅かったんじゃないかな。二十四歳の頃だって人に食わせてもらっていたような気がするし。

福本　でも、有名になるのは早かったんじゃないかなあ。

沢木　どうかなあ。でも、漫画家として、いまの福本さんの地歩を固めたのは、運と努力、どちらが大きかったと思いますか。

福本　やっぱり頑張ったと思います。やめてもいいような状況を乗り越えてきたのは偶然だけではないと感じています。そのうち、言葉が通じるのと同じように、面白いものは絶対に通じるんだという信念を持てるようになってきたんです。

沢木　それは相当な自信ですね。だから、開花する時期は人によって違うということなんじゃないかな。

福本　……うん、たしかにそうなんでしょうね。自分の進路を自分で決めたとしてもそれが向いてるかどうかは、しばらくやらないと見えてこない。だから大事なのはいやいややるのではなく、それをじっくりと長いこと楽しめるかどうかにかかってくるんだと思います。

沢木　それは大いに同意しますね。

福本　うちの「フラット3」にもよく言ってきかせなきゃ(笑)。そうだ、沢木さん、いいワインがありますから、今度うちに遊びにきてください。かみさんも喜びますから。

沢木　ありがとう。ぜひ伺わせてください。では、この続きはまた東京で(笑)。

あの旅の記憶

大沢たかお
沢木耕太郎

おおさわ　たかお　一九六八年、東京都生まれ。俳優。

あるとき、私の『深夜特急』がテレビで映像化されることになった。許可は出したものの制作には一切タッチしていなかったが、ロケに出る前に一度だけスタッフと会っていただけないかという要望に応え、制作会社のカノックスのオフィスのある赤坂まで出向くことになった。そこで社長の久世光彦さんの挨拶を受けたあと、主演の大沢さんを含んだ主要スタッフと溜池方面にあるレストランまで歩いていくことになった。

途中、大沢さんと肩を並べて歩くことになったが、確かに百八十センチの私よりコブシひとつ分だけ背が高かった。何が「確かに」かと言うと、プロデューサーが「主人公には、香港やカルカッタの雑踏を歩くとき、頭ひとつ出ていてほしい」と言っていたからだった。これなら、「確かに」頭ひとつくらい出るだろうと思えたのだ。心配だったのは、背は高いが、なんとなくひ弱く感じられたことだった。これで二年に及ぶという苛酷な撮影に耐えられるだろうか、と。

しかし、それは杞憂だった。

そのレストランで、私は酒の勢いもあり、もし大沢さんが無事に最終地点のロンドンまで辿り着いたら、そこで祝杯をあげようと口走ってしまった。二年後、実際にゴールすることになると、その言葉の責任を取り、ロンドンまで出向くことになった。そのとき、姿を現した大沢さんは見事なくらい逞しい青年に変貌していた。

この対談は「ｙｏｍｙｏｍ」の二〇〇八年十月号に掲載された。

（沢木）

心の支え

大沢 ご無沙汰しています。

沢木 この前お会いしてから、どれくらいになるかなあ。

大沢 二、三年になりますか。

沢木 あのとき、大沢さんが、ちょうど撮り終わった『解夏《げげ》』の話をしたのを覚えているから……。

大沢 ということは、もう四年になりますね。

沢木 そんな前のことになるのかな。大沢さんは、最近もあいかわらず、映画を中心にした生活を送っているの？

大沢 基本的にはそうです。

沢木 いま上映しているのは『ＩＣＨＩ』、女座頭市の相手役ですね。

大沢 ええ、でも、いま撮影しているのは紀里谷和明監督の『ＧＯＥＭＯＮ』なんです。

沢木 石川五右衛門？

大沢 紀里谷さんがどうしてもやりたかったテーマなんだそうです。

沢木 女座頭市の次は石川五右衛門か(笑)。

大沢 沢木さんはどんな仕事をしてらっしゃるんですか？

沢木 今年はね、いま僕たちがこの対談をしている「新潮社クラブ」に泊まり込んで、ずっと書き下ろしの本を書いていたんですよ。

大沢　ここで、ですか？

沢木　この二階に、いわゆる「カンヅメ」用の部屋があってね、昔からいろいろな作家が、長く逗留しては名作を生み出したり、まったく書けないで苦しんだりしていたんですよ。

大沢　そういうところなんですか、ここは。

沢木　そういうところなの、ここは(笑)。なにしろ、ここは神楽坂でしょ。「カンヅメ」になったのはいいけれど、夜な夜な飲みに出てしまって、まったく仕事にならないという人も多くてね。僕も以前はそのクチだったけど、最近はあまり夜遊びをしなくなったので、きちんと仕事ができるようになったんですよ(笑)。

大沢　その本が、今度出されるという……。

沢木　そう、『旅する力』という本なんだ。旅についてのエッセイなんだけど、「深夜特急ノート」というサブタイトルがついているくらいで、なんといっても『深夜特急』の旅が中心になっているもんだから、『深夜特急』の最終便といったような感じもあってね。そこで、『深夜特急』が映像化されたときに「沢木耕太郎」の役を演じてくれた大沢さんと対談したらということになったわけ。

大沢　そうでしたか。

沢木　あの『劇的紀行　深夜特急』というのはテレビでは一年置きに二時間の番組として三回にわたって放送されたけど、いまはDVDになっていますよね。

大沢　ええ、三巻セットになっています。

沢木　もうそろそろ放送してから十年になろうというのにまだ売れているらしくって、毎年原作料というのが僕のところに送られてくるんですよ。ほんの少しですけどね(笑)。

大沢　あれは、出演者の僕のところにも送られてくるんです。ほんの少しですけど(笑)。でも、それって、とても珍しいことみたいですよ。テレビの番組のＤＶＤが十年たっても売れているなんていうのはね。あの作品はなんか特別のようです。

沢木　正直に言うと、その『劇的紀行　深夜特急』という番組を、放送のとき僕はきちんと見ていなかったんですよ。なんといっても、「沢木耕太郎」が大沢たかおで、その恋人が松嶋菜々子だなんて、とてもじゃないけど素面《しらふ》では見られなくてね(笑)。でも、今回、大沢さんと対談するというので、昨日はじめてＤＶＤで見たんですよ、ぶっ続けで。そうしたら、意外にも面白かった(笑)。

大沢　そうです、とても面白いんですよ(笑)。

沢木　あれって、二年くらいにわたって撮影されていたと思うんだけど、ＤＶＤの一巻目と三巻目では大沢さんの顔つきが違うんだよね。明らかに逞《たくま》しくなっている。

大沢　それは現場でやっている時から、自分でも意識していました。主人公が旅の過程でいろんなものを乗り越えていくことで、一皮も二皮もむけて男前に成長するという芝居しか見せられるものはないと思って臨んでいたようなところがあったんです。だから、見た目にわかりやすい変化をつけるため、最初の頃はわざと肌を白くしていました。撮影をしているあいだに自然に焼けていきましたけど、三作目の撮影の前には集中的に鍛えて、体が大きく見えるようにもしています。

沢木　そうなんだ、そんな努力をしてたなんてぜんぜん知らなかった。

大沢　もちろん、旅をすることで少年というか青年が男に変わっていくんですけど、さらにそれをもう少しわかりやすくさせたかったんです。

沢木　なるほどね。それと、僕の旅で起きた出来事と大沢さんの旅で起きた新たな出来事がうまい具合に混ざっているのもよかったなあ。国際状況が変化して僕の旅とは別のルートをとっているけれど、それが少しも不自然ではなくてね。

大沢　でも、撮影中は常に沢木さんの『深夜特急』が心の支えでした。台本はありましたけど、監督をはじめ、同行スタッフ全員がそれぞれ原作を持って読みつづけ、毎日現場でアイデアを出し合っていました。新たに追加された場面もありますけど、それもすべて原作に出てくるエピソードにインスパイアされてのもののはずです。

沢木　もうひとつ驚いたのは、三部、三巻合わせて五、六時間にもなろうというのに、基本的に大沢さんだけが撮られていることでしたね。一人称なんだから当たり前といえば当たり前のことなんだけど、あんな長い時間、一人の人間をずっと追いかけている番組はそうあるもんじゃないでしょ。当人を目の前にして言うことじゃないけれど、あれは間違いなく大沢さんの存在感によって支えられていましたね。

大沢　スタッフには、もともとドキュメンタリーを撮っていた人が多くて、この企画に賭ける情熱はすごく強いものでした。僕たちは現場でよく、『深夜特急』とはいったい何なんだろうと果てしなく議論をして、そのあげく熱くなり過ぎて激しいぶつかり合いになったこともあるくらいでね。そんな共同作業であると同時に、異国の地で過酷な撮影をするということは、自分自身とひとり向き合うことでもあるんですね。だからきっと、あの映像を通して、僕だけじゃなくて、監督は監督の、カメラマンはカメラマンなりの人生を表現していたんだろうと思うんです。その結果、それぞれが考える『深夜特急』や、旅そのものについての想いが溢れ出てることになったんじゃないでしょうか。僕も自分の作品を見返すということは滅多にないんですけど、何年か前に久しぶりに見たら、やっぱり思ったんですよね。普通のドラマとはなにか力が違うって。

「逃げる」ための旅

沢木　僕は自分の作品が映像化されるとき、一度オーケーを出したら一切口を出さないと決めているもんだから、どうして大沢さんが僕の役を演じることになったのか細かい事情を知らないんですよ。どういういきさつからだったんですか？

大沢　亡くなられた久世光彦さんが代表の「カノックス」という制作会社が僕に声を掛けてくれたんです。初めて関係者やスタッフに会った時、目の前に広げられた大きな地図を見ながら企画を説明されたんですけど、その時点でもうわくわくして、「絶対やりたい！」と思いました。

沢木　でも、長い期間にわたって拘束されるというのは問題じゃなかったの？

大沢　ちょうど『星の金貨』というドラマに出演したあとくらいでしたからね。

沢木　いわゆるトレンディードラマの俳優の道を歩んでいた。

大沢　ええ。でも、少し、僕の内部で、これでいいのかなという感じはあったんです。そんなときに、この『深夜特急』に出会ってしまったんです。

沢木　出会ってしまったんだ(笑)。そのとき、トレンディードラマを続けるという路線もありえたわけですよね。

大沢　ありました。

沢木　でも『深夜特急』を選んでしまった。

大沢　ええ。

沢木　だけど、その時点ではまだどういう作品になるかまったくわからなかったりするわけじゃないですか。

大沢　わからなかったです、全然。わかっていたのは、二年かかるということだけでした。

沢木　流行りの役者にとっては二年というのはとんでもない長さなんだろうな。

大沢　何に悩んだかというと、まず『星の金貨』という主演作があって、続いて『オンリー・ユー』という主演作もあり、そういう意味ではいわゆる「人気者お兄ちゃん路線」を歩んでいたわけですよね。もし、この『深夜特急』をやるとすると、そういう路線の露出が制約されるマイナス面がある。さあ、どうするかということになったわけです。いま人気のラブストーリーをやりつづけるか、自分のやりたいものをやっていくか。僕はその後のほうを選ぶことにしたんです。いばらの道を選ぼうと。事務所のスタッフと話して、たとえ二年かかろうと三年かかろうと自分の代表作を作るんだというぐらいな感じでやろうって。もうありきたりのドラマはいい、と言ってこの作品に入ったんです。

沢木　でも、ギャラの面から考えれば割に合わない仕事だったんでしょ？

大沢　でも、当時は若くて……。

沢木　いまでも十分に若いけど(笑)。

大沢　ハッハハッ。そのとき、考えていたのは、ギャラなんかより、格好いい仕事をしたいということでした。いまもそうですけど、格好いい仕事をしたいというのが二十代にはものすごく強かった。だから、ギャラとかはまったく気にならなかった。たぶん、うちのスタッフも訊《き》かなかったはずですよ。

沢木　僕は大沢さんに初めて会った時、線が細くてひ弱な印象があって、「この人で大丈夫だろうか」なんて実は思ったんだ(笑)。だから、最後の撮影があったロンドンで、僕も駆けつけて一緒に祝杯をあげようということで会った時、随分と逞しくなったなと驚いた。大沢さんは、もともとはモデルをやっていたんですよね？

大沢　そうです。

沢木　どういうきっかけなんだっけ。

大沢　それはもう、よくある話なんですけど、スカウトなんですよ。大学生のときに新宿の飲み屋みたいなところで声を掛けられたんです。モデルをやってみる気はないかって。その人が、いま俳優をやっている加藤雅也さんのモデルのときのマネージャーだったんです。そこから「メンズノンノ」というファッション誌にレギュラーで出るようになって……。

沢木　そうか、「メンズノンノ」が最初だったのか。

大沢　そうなんです。あの「ノンノ」の姉妹誌というか兄弟誌というか。

沢木　「メンズノンノ」といえば、僕にはひとつ思い出があってね。ちょうどそれが創刊されるころ、酒場で出版元の集英社の社長と重役と「メンズノンノ」の編集長の三人とばったり会ったんですよ。社長が「こんどこういう雑誌を出すんだけどどう思う」と訊ねるんで、僕はこう答えた。「ノンノ」の会社が「メンズノンノ」を出すというのは戦略的にすばらしいけど、「メンズノンノ」を読むような若者とは付き合いたくないですねって。そうしたら、社長も「俺もそう思う」って(笑)。

大沢　ハッハッハッ。

沢木　でも、そこに出てくるモデルのことまでは考えなかった(笑)。

大沢　僕が出させてもらっていた頃の「メンズノンノ」は黄金時代で、毎月海外での撮影があったんですけど、その移動もファーストクラスだったりして、とにかく恵まれていました。そのうえ、ある程度のお金ももらえ、いろいろな人と出会え、タレントさん以上にチヤホヤされる。刺激もあって、それなりに楽しかったけれど、服を着てポーズを決めて写真に納まるというモデルの仕事自体は全然面白くありませんでしたね。何か演じているという感じがいやだったんです。

沢木　でも在学中、パリコレに行ったんだよね？

大沢　あれは逃げたんです。

沢木　モデルの仕事から逃げるのにモデルの仕事をしに行ったということ？

大沢　というか、大学三年になって、本当は就職活動をしなければならないんですけど、それをしたくなくて、パリコレに出るということになれば逃げられるだろうと思ったんです(笑)。

沢木　実際、仕事はできたの？

大沢　二カ月弱の滞在で、仕事になったのは結局「ヨウジヤマモト」のショーのひとつだけで、それ以外はセーヌ河のほとりで昼寝していました。

沢木　どの辺に宿をとったの。

大沢　サンミシェル。

沢木　それはホテル、それともアパートみたいなところ？

大沢　一応ホテルなんだけど、長期滞在用のすごく狭いところでした。

沢木　面白そうだね。

大沢　たまたま安かったんで借りたんですけど、あのあたりがとても好きになりましてね。ちょうどサンミシェルの脇道のギリシャ料理屋が並んでいる……。

沢木　そういえば、サンミシェルにはそんな路地があるよね。

大沢　ちょっと細い道の、あの一角の上に住んでいたんです。三畳ぐらいでしたかね、とても狭い部屋。そこからいつもサンミシェル駅に行って、メトロに乗ってどこかに行ってました。

沢木　それは割と快適だったの？　それとも「ちょっとなあ、何も仕事ないしなあ……」と鬱々としているという感じだったの？

大沢　半々でしたね。言葉もあまりしゃべれなかったから孤独でしたけど、外国にいるという妙な充実感はありましたね。美術館に行き、雰囲気のあるカフェに入ってコーヒーを飲み、いろいろなところで開かれている市場に行ってみる。いま考えると、いつもと違う空気感のところに自分を置くことで、違う自分が見えるといった楽しさを味わっていたのかもしれません。

沢木　その状況は僕の場合とよく似ているかもしれないな。二十六歳で僕が『深夜特急』の旅に出たのは、やっぱり逃げ出すためだったんですね。大学卒業後、偶然が重なって「書くこと」が仕事になりつつあったあの頃は、この仕事を一生のものだなんて思ってもいなかったし、かといって、進むべき方向もわからなかった。自分に猶予期間を与えるつもりで、とりあえず旅に出てしまったような気がするな。結局旅から戻っても、僕は同じように書きつづけることになってしまったんだけど、大沢さんはパリから戻って、モデル以外の方向性は見つけられたの？

大沢　まったく見つからなかった(笑)。

沢木　で、どうなったの。

大沢　親から、就職しないんだったら家を出て行けみたいな……。

沢木　本当？　それ初耳だけど、そうなの。結構厳しい御両親ですね。

大沢　ま、そんな「出て行け！」とは言われなかったですけど(笑)、ただ大学を出たときに、そうやって就職しないんだったらうちにはもう置けないからということで、僕は荷物をまとめて家を出たんです。渋谷の小さなアパート借りて、そこでやり直したというか……最初はとにかく家に帰れなかったですし。

沢木　勘当(笑)。

大沢　そんな感じです。

沢木　で、家を出てからどうなったの？

大沢　モデルをやるしかなかったんで、やっているうちにモデルとして結構名前が出てくるようになったんですね。すると、うちの親も親戚やなにかから聞くらしいんですね、サインを貰ってくれとか言われるついでに(笑)。

沢木　お宅の息子さんはすごいんですねとかなんとか。

大沢　そこでうちでもだんだん勘当にしておくのはもったいないんじゃないかとなって……。

沢木　ハッハッハッ。

大沢　そこからたまに家に行くようになって、自分に恋人ができたときには連れて帰るようになって……。

沢木　じゃあ依然としてモデルを続行していたわけですね。

大沢　悩みながらですけどね。いつまでこんなことやっているんだろうと思いつつ。

沢木　これが一生の仕事とは到底思えなかった。
大沢　思えなかったです。
沢木　それでどうしたの？
大沢　二十四、五歳になって、そうじゃないよな、そうじゃないよなと思いつつ仕事をしていたんですけど、それに反比例してモデルとして妙に有名になってしまってとても忙しい日が続いていたんですね。ある日、いつものように「メンズノンノ」の撮影現場に行って、控え室で座っていたら、みんな仲間が楽しそうにしゃべっているんですよ。その話を黙って聞いていたんだけど、全然おもしろくないんです。まったく笑えなかった。その空間で、僕だけがひとり無表情で……その日の夜、やめようと思ったんです。
沢木　ほう。
大沢　で、その一週間後に、当時「メンズノンノ」の編集長だった人に話して、やめます、と。当然、やめてどうするのと訊かれました。次は何も決まってないけれど、もうやっていられないからと告げて、やめちゃったんです。
沢木　面白い！　それでどうなったの。
大沢　もう無職です、ずっと。一年弱ぐらい。
沢木　まったく？　本当に？
大沢　本当です、何もやってない。
沢木　二十四、五歳といえば、何かをやるんだったらとても重要な時期だよな。
大沢　そうなんですよ。肝心なときに何もやっていない。

沢木　いや、逆に、何もやっていないというその一年が重要だったのかもしれないけど。でも、何もやっていないといっても……何やってたの(笑)。

大沢　ちょっとあった貯金と、そのときに一緒に住んでいた女性に食わしてもらって、何とかやっていたんですけど、どんどん生活が乱れていっちゃって。もういよいよ何かやらなきゃいけないなというギリギリのときに、かつてのマネージャーが「俳優をやってみないか」という話を持ってきてくれたんです。もしかしたらこれからはモデルから俳優になるというのがひとつの流れになるかもしれないよと。僕は、俳優なんか冗談じゃない、あんな格好悪い仕事はいやだと断った。

沢木　もともと人前で演じるのが嫌だという話だったんだもんな。

大沢　それが嫌でモデルをやめたと言っているのに、いや、それよりもあんたお金ないだろうという話で、確かにそれはそうで、そんな偉そうなこと言えない立場だったんです。で、しばらく考えて彼女に相談したら、「向いているんじゃない」と言ったんです。「向いている気がする、私」って。気は進まなかったけど、とにかくバイトでも何でもやらなくてはいけない状況だったんで、やることにしたんです。

戻れなくなった道

沢木　一番最初にどういう役が来たんですか。

大沢　元暴走族で、現在はホストという……。

沢木　おおっ、そんな感じの役だったの。

大沢　それは『君といた夏』というフジテレビの、当時筒井康隆君とかいしだ壱成君が出ている人気ドラマだったんです。その脇役として急に選ばれて、その次のクールのドラマにも出てほしいと言われて、さらにその次のクールでTBSの田村正和さん主演の『カミさんの悪口2』というのにまた脇役で出て、その次のクールで『星の金貨』のオファーがあったんです。

沢木　主役になったんですよね。

大沢　そうなんです、一年足らずで。だから、自分ではよくわからないまま、好きか嫌いかわからないまま役者になっちゃったんですよ。

沢木　でも、経験のない人がいきなり演じるって結構難しいと思うけど、それは全然気にならなかった？

大沢　必死だったんですよね。格好もつけてられなかったし、何かがむしゃらにやるしかなかった。

沢木　たとえば演出家や何かに、ああしろとかこうやれとかいろいろ言われなかった？

大沢　これが不思議なんですけど、言われなかったんですよ。最初っからずっと言われなかったんです。

沢木　そのままでいいよみたいな、好きなようにやって、というような感じだったのかな。

大沢　ええ、自分の思うようにやって、周りのこと聞かないでいいですからって。それって、楽しいじゃないですか。そうか、自分の思うとおりに表現をしていいんだというのでやり出したら、だんだんやり過ぎるようになってきて……。

沢木　どのあたりでそういうふうになったの。

大沢　いや、もう一作目、二作目ぐらいからでした。やり過ぎるというよりも、台本に書いてない、

沢木　普通だとあまり思いつかないようなアイデアの演技を本番でやるようになっちゃった。カメラがびっくりするんだけど、そのうちこちらのアイデアを追っかけてくるようになるわけですよ。そうすると、主役がいての脇役だから、主役がおかしくなってくるんですね。こいつ何なのみたいな。最初はおとなしくしていたんですよ、すごく。それが、だんだんギンギンにやり出しちゃって。

大沢　自己主張だったんですよね、いま思えば。そんな感じでやっていましたね。そんなときに、この『深夜特急』というのに出会ったんですよね。

沢木　ハッハッハッ。突然、自己主張をしはじめたわけね。

大沢　『星の金貨』が終わって……。

沢木　終わって、そのあとに『オンリー・ユー』という知的障害者が主人公のドラマに出て、それでたくさん賞をいただいて……その直後ぐらいになるんじゃないでしょうか。

大沢　ということは、当然午後九時とか十時台のドラマのオファーはいっぱいあったんですよね。

沢木　いっぱいありました。

大沢　それを続けていくという路線も当然あったわけね。

沢木　もちろん。

大沢　で、『深夜特急』をやったらそっちの方向にはもう戻れなくなった？

沢木　戻ろうとしたんですよ。戻ろうとしたんだけど、戻れなかったんですよね。もうその場所に納まれないいんですよ。

大沢　あのあと、『星の金貨』の続編とか、そういうのをやっていたような気がするけれど……。

沢木　あれは『深夜特急』の第三部を撮り終わった直後ぐらいじゃないですか。そのときもだめでしたね。いまだに忘れないですよ。病気になりそうでしたね。そこの枠での芝居がどうしてもできなくて。最初にドラマに出たときから、自分の中で、愛しているとか愛してないとかの芝居じゃなくて、芝居をしているんだかそこに本当に存在しているんだかわからないような芝居をしたいって思っていたんですよ。それが『深夜特急』の中では毎日存分に実験することができて幸せだったんですね。それがまたドラマの世界に戻ってきたら、振り向いて「愛している」と言ってほしいみたいなことになって……どうしても、それがうまく言えないわけですよ、もう。何が「愛している」だよという感じがして。そこから溝ができちゃったんです。やはりドラマの現場に行っても、監督に対して突っかかるようになっちゃって。

沢木 それはできないとか。

大沢 ええ、なぜできないかと説明したりする。自分はこう考えてこう考えて、こう考えるからできないけど、監督はどう考えているんですか。いや、そこまで考えていないよとなっちゃうから、会話が成立しないんです。そんな難しく考えなくていいよ、ドラマなんだからと言われる。うまくいかないじゃないですか。それでだんだんドラマをやめていったんです。

沢木 テレビのドラマね。

大沢 ええ。

沢木 それから気がつくともう映画、いわゆる本編とよくみんなが言うものしかやらなくなっていく。それは意図してじゃなくて、結果としてそうなってしまっただけなのかな？

大沢 かなり意図してのほうが大きかったと思います。ドラマに行ってぎくしゃくするんだったら、最初からやらないほうがいいんじゃないかって。

沢木　それって、僕にはよくわからないんだけど、経済的なことで言えば、テレビのそういう連続物やったほうが収入はいいの？　映画一本でドーンと貰《もら》ったほうがいいの？

大沢　いやいや、日本の映画では一本でドーンというのはありません（笑）。いまはまた随分変わったんですけど、当時、日本映画ってどん底のときだったんで、昼食だってもう冗談みたいなお弁当なんですよ。これ子供用ですかっていうぐらい。とにかく、お金がない。だからそういう意味ではテレビとは相当な差があったと思います。

突然のブレーキ

沢木　その場がテレビであるか映画であるか舞台であるかはともかく、いまのところ大沢さんは、役者という仕事、俳優という仕事をやっていこうという感じなんですよね。

大沢　いや、それがね、不思議なんですけど、いまは仕事が目の前にあるのでそれを精一杯やっているんですけど、たまにふっと自分の心をよぎるものがあるんです。みんな不安がるから言わないんですけど、もしかしたらモデルのときみたいに、ある日突然笑えなくなっちゃうんじゃないかなっていう恐怖感。恐怖感というか……。

沢木　不意のブレーキ、ね。

大沢　そうなんですよ。あれは突然来るんで。

沢木　僕も大沢さんを見ていて、自分とまったく同じところがあるなという気がする。この世の中にはどうしても作家になりたいという人がいるわけですね。で、子供のころから一生懸命努力したり、あるいは大学生ぐらいから一生懸命投稿したりする。僕は全然そんなことがなくて、二十二歳のときに何か書いてみないと言われて書きはじめて、それがいままでずっと続いてきた。大沢さんも、役者に関して言えば、ちょっとやらないと言われてなんとなくやったわけじゃない。

大沢　いや、もう、本当にそうです。

沢木　まあ、面白いからやっているけど、これが一生の仕事だろうかって、大沢さんも思っているわけですよね。でも、世の中には役者になりたいとか俳優になりたいとかいう人たちがいっぱいいて、若い時から絶対になりたいとか思っている。

大沢　みんなそうですよ、やはり。

沢木　ところが大沢さんはそうじゃなかった。はた目から見れば羨ましくなるほどうまくいっているけど、いつ、どこで、ブレーキを起こして、「いいや、もう俳優は」ということになるかわからない危険な感じがある。

大沢　もう、それは十分にありますね。

沢木　でも、まだいまは面白いのね。

大沢　面白いというか、俳優としてまだ超えていないハードルがいくつかあるんです。そのハードルというのがモデルのときは自分の中でもうなくなっちゃったんですよね。これを次やってやろうというのが全然なくなっちゃっていたので、そうなるとだめみたいで。ただ、俳優に関しては、何かまだもうちょっと、いくつか自分の中で超えたいものがあるんです。

沢木　僕はこのあいだ大沢さんと会ったときに、あ、大沢さんは本物の俳優になりつつあるなと思ったんだ。

大沢　どうしてそう思ったんですか。

沢木　あのとき、飯を食いながら『ラストサムライ』の話になったよね。僕はトム・クルーズを特に好きでもないんで、見ないつもりだと言うと、大沢さんはもう見たという。とてもよかったって。そこで僕が「渡辺謙がよかったの？」と聞いたら、大沢さんが「いや、あれはそう見えて、トム・クルーズが、渡辺謙が映えるようにちゃんと受け身の芝居をやっているんですよ」って答えた。忘れたかもしれないけれど、僕は内心「おおっ！」と驚いて、それで見たんですね。実際に見てよかったんだけど、なるほど確かに大沢さんが言うように渡辺謙が輝く仕組みになっている。そうか、それを大沢さんは見ていて感知できるようになってきた。そうか彼は、きっと本物の俳優の道を歩みつつあるんだなと思って、二度驚かされたんですよ。

大沢　そうでしたか。

沢木　そのとき、もしかしたらハリウッドでオーディションを受けてみたい、みたいなことを言っていたけど、それはやっているんですか？

大沢　まだやっていないですね。でも、それが自分の中でのハードルのひとつになっているので、何かの形になるようにしたいとは思っているんです。自分のイメージでは、あと十年、五十のところまでは、ほかのこともやりつつ俳優の一番高いハードルを超えられるようなことをしたいなと。万が一そこで超えられなかったら、自分としては能力とか情熱がないんじゃないかなと判断して、線引きをしようと思っているんですけど。

沢木　超えられなくても、超えようとしつづけられればいいという気がするな。

大沢　うーん、でも、やはり超えたいですよね。

沢木　ところで、このあいだ新聞で読んだところによると、最近は俳優だけでなく、映画の制作の仕事もしているんですって？

大沢　ええ、少しだけですが、『ラブファイト』という青春映画の制作に関わりました。いまの日本映画のようにリズムの良さだけで進んでしまうんじゃなくて、観客に「何かを考えてもらえる」作品、余韻とか間とかがある作品が作りたかったんです。

沢木　小品という感じの映画なのかな。

大沢　そうなんです。全国で三十館くらいでしか上映されないので、日本中を廻って三十館すべての映画館の支配人と会ってきました。

沢木　すべて？

大沢　ええ。支配人は二十代、三十代の若い人が多くて、「この映画はこういうふうに届けたいです」というような具体的な提案をしてくれるんです。俳優だけやっていたらわからなかったことばかりで、すごく楽しかった。もしかしたらいまの時代には合わないものかもしれませんけど、若い人たちに見てもらえたら嬉しいですね。

沢木　スケールは小さくてもいいから、どこか心に残るというような作品になっているといいね。

大沢　そのために、いまでもまだ編集上の問題で監督とガンガンやり合っているんです。

沢木　日本映画といえば最近話題になっている『おくりびと』って見た？

大沢　まだ見てません。

沢木　実際『おくりびと』ってすごくいい映画なんだけど、見ている人を信用していないのが気になるんですよね。監督は滝田洋二郎さんという方で、『壬生《みぶ》義士伝』を撮った方なんだけど。『壬生義士伝』もすごくよくできているのに、最後に三回ぐらい泣かせるためにだめ押しの泣かせのシーンを連ねるんですよね。そこを断ち切れば観客はむしろ深い余韻を味わえるのに、ぐっとなったところでまただめ押しの泣かせのシーンを付け足し、付け足ししてくるんで、しらけちゃうというのがあるんですよ。『おくりびと』もまったく同じで、すごくよくできているのに、最後に泣かせるためにわざとお父さんとの不思議な因縁みたいなものを付け足しちゃう。そうすると、それはきっと滝田さんという監督の一種の癖というか、ここまでやらなきゃわからないんじゃないかというようなサービス精神でもあるんだろうけど、でも観客ってもっと賢いというふうに僕は思うわけですね。そんなことしなくたって、ここまででもじーんとしているのに、そこでだめを押されちゃうと、さーっと冷めちゃうというかね。制作の人も監督も、もっと観客を信じてほしい。欧米の映画が全部いいというわけじゃないけど、いい作品には、ここでカチッと切るぞという、ここで終わるんだという明確な意志があって、それは観客を信じているからという部分があると思うんですよね。そういう映画を見せてほしいんだけど、日本の映画にはなかなかなくてね。

大沢　僕、思うんですけど、こういう言い方したらもちろん自分の同業者の人たちからふざけんなと言われちゃうんですけど、突き詰め切れていない気がしてしようがないんですよ。映画とは何なのかとか、いまの時代とは何なのかとか、映画館で見る人とはどういう人なのかというのを本当に深く考えていない気がしていて、だからいろんな企画の話を聞いたり、実際の現場を見せてもらっても、そんなんで本当に人の心の中に入っていくつもりなのというのがものすごい多いんですよね。若い子にはスピードが第一だからこういうカットで見せて、とか言ってやっているんだけど、観客は若い子ばかりじゃない。

沢木　そうですよね。

大沢　若い子だって、この間『ラブファイト』のとき、全国の高校生と話す機会を設けてもらって、いろいろなところで話を聞いてきたんです。「ちなみに、最近ヒットした『花より男子』は見た？」「ああ、見た見た」「どうだった」「チョーつまんなかった」「そうか、つまんないんだ」「大人はみんな私たち用の映画だと思っているけど、全然おもしろくないし、あんなの現実じゃないし」とか言ってるんですよ。確実に作り手と受け手の間に溝ができていて、それをすごく感じます。

沢木　いまの話ってすごく象徴的だけど、でも彼らは一応見たわけだよね。

大沢　話題についていくために見ないといけない。

沢木　という状況を作ったというのは、戦略的には制作側が正しい。だけど、見て「うわっー」と感動して、もう一度見たくて友達を誘ったとかいう話にはならない。

大沢　ならないんです。だから次にまた別の映画を見たいという気にさせたかというと、そうじゃない。でも、また話題になった作品が来たら行かなきゃいけないけど、というぐらいなんです。

沢木　そうなんだよね。だから、そこは逆に言うと、そういうドーンと当たったものが観客をどんどん切っていっている感じもするよね。

大沢　そうなんですよ。だからここ数年、日本の映画界は好調とか言われたんだけど、でも実際には世界に誇れる、これが日本映画だというのは本当に少ないと思うんですよ。最近のヒット作を見てくれた人たちは、むしろ映画館から遠ざかっていくので、この三年後ぐらいになるとまた……。

沢木　危機的な状況を迎えかねないよな。

大沢　もうシネコンも地方はどんどん成績が下がっているらしいんです。ガソリン代も高いからみんな車で行かなくなっちゃっているので、今年から来年にかけてシネコンがかなりつぶれると言われているんですね。でも、しようがないですよね、種はこっちがまいているんだから。

沢木　本当に、ちょっとでいいから最後に心を動かされるような作品を見せてくれないものかと思うよな。

危機に際して

大沢　帰国後僕もよく聞かれましたが、「旅で一番印象に残ったのはどこですか？」と質問されませんでしたか？

沢木　挨拶みたいに必ず聞かれて、僕はその時々で、香港と言ったりカルカッタと言ったり、イスタンブールと言ったりしていました(笑)。いまはもうしばらくのあいだは立寄れないということもあるけれど、アフガニスタンに入った時の景色の美しさは忘れられないと言ったりしています。大沢さんはどの場所に強い印象を持ちましたか？

大沢　カルカッタはかなりの衝撃を受けました。太陽が燦々《さんさん》と照り、砂煙が舞うなかに、数え切れないほどの物乞いや路上生活者がいる。そんな中で飲むチャイは、実に不思議な味がしたのを覚えています。何が善で何が悪か判別できない。カルカッタと置き換えられる場所なんて、世界中で他にないでしょう。

沢木　僕も、カルカッタでは、これまでとは別の「新しい世界」に入ったような感覚に陥ったし、きっと多くの人が同じように感じるんじゃないかな。

大沢　他の国ではあまり異国感って覚えなかったですけど、あそこはまさに異国って感じがしましたね。

沢木　昨日DVDを見ていて思い出したんだけど、大沢さんたちが旅をしていた一九九六年というと、ちょうど『電波少年』で「猿岩石」の二人が旅をしていた時期と重なっているでしょ。突然現れた彼らが自分たちと同じようなルートで旅をしていて先に話題をさらってしまった。それに対して焦りやプレッシャーみたいなものは感じなかった？

大沢　最初の頃は「猿岩石の真似だろう」みたいなことを冗談まじりに言われることもありましたけど、僕は全然気にしませんでした。沢木さんの『深夜特急』にヒントを得て彼らも旅をしていたけれど、旅をする上での気持ちは、僕たちとはずいぶん違っていたんじゃないかな。僕たちは、撮影中、食中毒で次々とスタッフが倒れたり、僕自身、歯の激痛や胃《い》痙攣《けいれん》でドクターストップがかかったりしたけど、撮影を中断して日本に帰国しようとは一切思いませんでした。「ここで散るなら、散ってしまおう」というような、なにか突き抜けた覚悟のようなものができていましたし。

沢木　それはすごいね。

大沢　『深夜特急』は僕にとって、ある特殊な恍惚《こうこつ》感《かん》を味わわせてくれる作品でしたね。その後もたくさんの役をその時々で精一杯演じてきましたけど、『深夜特急』で感じたような特別な感覚まではなかなか手に入れられません。十年に一度か二度というような……。

沢木　旅をすることで、自分の内部に変化のようなものが起きる。もしそういうことが起きるとすると、旅というのはなんらかの意味があるというふうに思うんですよね。だけど自分を奥の奥から変えてくれるような旅というのは、そんなにはできないじゃないですか。

大沢　できないですね。

沢木　大沢さんにとっては『深夜特急』を撮る旅というのは仕事だったけど、自分自身にとっての旅になっていた部分もありそうですよね。それによってちょっとした変化がありましたか？

大沢　ちょっとした変化どころじゃないですね。大きいですね。もちろん仕事なんですけど、あそこまでいくとほぼ仕事じゃなくやっているというか、みんな何か別の次元に突入していくんですよ。

沢木　なるほど。

大沢　長いあいだ海外を旅していると、自分を飾っている色んな物が剝《は》がれていって、自分というものが露わになるように感じることがありませんか？　隠している自分が徐々に見えてくるような。

沢木　あるよね。大沢さんは、あの旅をしていく中で、どういう自分が見えてきたんですか？

大沢　僕は自分で「孤独が好きだ」と思っていたけれど、実際は、「誰かと一緒にいること」に喜びを感じていたのだと、はっきりわかりました。

沢木　それはとても印象的な自分についての発見だね。僕は旅をする時はほとんどひとりなんですね。ひとり旅の最も良い点というと、これはあたりまえだけど、相棒がいないことだと思っています。話し相手がいないと自然と自分自身に向き合うことになるから、この風景の中で自分は何を感じたか、この土地についてどう考えたか、常に自分に問うことができる。それに、ひとりで異国を旅していると危機的な状況に直面する時もあって、そうした時にどんな行動ができるか、自分を試すというか、確かめることができる。

大沢　そうだ、危機的な状況といえば、以前、沢木さんの乗っていた飛行機が墜落したことがありましたよね？　新聞の記事を見てびっくりしましたけど、あれはまさに危機的状況だったんでしょう？

沢木　うん、ブラジルのアマゾンで、乗っていたセスナのエンジンが止まっちゃって、そのままジャングルの中に墜《お》ちてしまったという……。

大沢　単純に、エンジンが止まって、そのまま墜ちていったんだ(笑)。

沢木　窓から見ていたら片方だけプロペラが止まったんで、なるほど片肺飛行をしてるんだと妙な納得の仕方をしていたんだけど、あっという間に反対のプロペラも止まっちゃってね。でも、「墜ちるぞ！」って声がして、ガクッと機体が傾き出したとき、不思議とパニック状態に陥ることもなかったし、「怖い」とも「悲しい」とも思わなかった。機体の負担を少しでも減らすために、パイロットの指示で扉を開けて荷物をジャングルに落とさなくてはならなくなったときも、パイロットが嫌な奴だったから彼の荷物を一番先に落として、自分たちの分は最後まで残しておいた(笑)。それくらい冷静だった。これまでの人生、それなりに楽しく生きてきたし、仕事に関しても「ぜひともライフワークを仕上げたい」なんてこともなかったから、別に後悔することもない。命を失うかもしれないけど、別に大騒ぎするほどのことでもないと思った。大沢さんはどう？　四十歳になったいま、「急に命がなくなる」と言われたらどうなると思う？

大沢　ここ数年、父親を亡くしたり、自分の仲間が急死したりするようなこともあって、「死ぬときは死ぬんだ」と自然に思うようになりました。僕も、「なんとしても生にしがみつきたい」という感覚はないかもしれませんね。死んだ親父に謝りたいことがいくつかあるので、あの世で親父に謝れるなら、と思うと恐怖感は薄れていきますし。

沢木　お父さんには、謝らなくてはならないことがあるんだ。

大沢　ええ。でも、たとえそういうことがないとしても、旅先でアクシデントが起こったとき、それほど動揺することなく対応できるような気もします。

沢木　なるほど。その感覚は僕と近いかもしれませんね。僕は旅を重ねるごとに、「危険を察知する力」と「危険を回避する力」が徐々についてきたと感じているんですけど、実際に旅の途上で危険に巻き込まれたとしても、多少のことなら切り抜けられるように思います。

大沢　まさに、旅する力、ですね(笑)。

沢木　そう(笑)。

大沢　僕もほんの少しですけど、旅する力がついてきたような気がします。

新しい旅

沢木　ところで、大沢さんは最近どこか旅に出かけましたか?

大沢　仕事だったんですが、ベネズエラのギアナ高地に行きました。ロライマ山という三千メートル近い山に登ったんですけど、その頂上にはこの世のものとは思えない絶景が広がっていて……。

沢木　それはどのような光景なの?

大沢　言葉で表現するのは難しいんですが、真っ平の土地が延々と広がっている頂上には、風や水、地面の揺れといった地球のエネルギーで浸食されてオブジェのようになった岩がごろごろしているんです。ある一帯では、岩がすべて動物の顔に見える。蛇やライオンや亀やゴリラや……。圧倒されながら歩いていたら、今度は古代ギリシャの神殿や古代ローマ遺跡のように見える岩が現れ、そうかと思うと子どもを連れて歩く人間の姿のように見えるものも出てくる。僕だけにそう見えるんじゃなくて、カメラマンやスタッフや、その場にいたみんなが同じように感じるんです。この山頂は「地球創世の際に一番初めに現れた場所」と土地の神話で言われているらしくて、まるで神様がこの地で地球創世の青写真を描いたかのような幻想的な光景のように僕の目には映りました。それと、このベネズエラの旅で嬉しかったのは、本当に久しぶりに『深夜特急』の時と同じような高揚を感じることができたことです。うまく説明できないんですけど、あのときの旅で感じた脳の感覚――スリリングな興奮とか、周囲にまったく何もない！　というような感じとかが、フッと蘇ったんです。瞬間的なものでしたけど。

沢木　どうだろう、二十代の旅って、自分の中に濃密に残るような気がしない？　『深夜特急』の旅は、僕の中でも一つの原型になっていて、その後どんな旅をしていても、年齢を重ねても、つい比較してしまうようなところがあるんだよね。

大沢　僕にもそういうところがあります。

沢木　やっぱり。

大沢　このあいだ、テレビでナショナル・ジオグラフィックの番組を見ていたら、ユアン・マクレガーがロンドンからケープタウンまでバイクで旅をするというのをやっていたんです。彼を何話にもわたって追っていく。それがとても面白くて、これを僕もやれないかなと。僕がやるなら、もう少しドラマ性を持たせて、中国とか東南アジアとかでやってみる……。

沢木　『深夜特急』のバイク版(笑)。

大沢　そうなんです(笑)。

沢木　ロンドンと言えば、みんなで祝杯をあげたあと、大沢さんたちはすぐ日本に帰ったの？

大沢　帰りました。

沢木　僕は、あそこでみんなと別れた後、ロンドン市内でバックパックを買って、モロッコに行ったんですよね。モロッコは『深夜特急』の旅のときに行きたかったけれど行かれなかったところでね。ちょうど大沢さんたちが『深夜特急』の旅を終えたところから、バトンタッチして二十年後に続きの旅をしたということになるかな。ただ、モロッコのマラケシュに着いたとき、来るのが遅かったなと思いましたね。もっと早くこのマラケシュには来なくちゃいけなかったなと。そのときの、いまから十年前のときでも十分刺激的ではあったけれど、やはり二十代のときにここに来ていたら全然違うマラケシュだったろうなということがあって。もちろん『深夜特急』の旅の途中でモロッコに行っていたら、『深夜特急』の旅は形を変えてしまったと思うんですね、アフリカへ渡ってしまったら。でも若いときにこの広場、フナ広場にいたかったなという感じはとても強くありましたね。

大沢　わかるような気がします。

沢木　このあいだ、百日間かけて中国を回ったときも……。

大沢　あっ、今度は中国を回られたんですね。

沢木　うん、そうなの。そのとき、「この旅を二十代でしていたら、何を感じたのだろう」と思わずにはいられなかったな。香港から出発して、上海、昆明、成都、西安を経由して、シルクロードの果てのカシュガルという都市まで、やはり乗り合いバスを乗り継いで行ったんだけどね。どんな旅も年齢を問わずできるけれど、ある年齢でしかできない旅というものも、絶対あり得るんだよね。お金も経験もない二十代の頃に、焦燥感を抱えながら異国を歩く旅と、定年後のゆったりとした気持ちで出かける旅とでは、濃度や質がまったく違うような気がする。もちろん、どちらが良い悪いという問題ではなくてね。教訓的な言い方になってしまうけれど、人生のある時にしかできない旅に出かけてみることは、かなり大切なことじゃないかな。

大沢　僕が『深夜特急』を撮る旅をした、二十八、九歳は、確かにその「ある年齢」だったと思います。あの旅は、かなりハードで苦しいものだったけれど、人生での大きな転機となりました。あの旅がなかったらいまの僕はいないような気がします。

沢木　おかげで、苦しい道を歩んでしまっているかもしれないけどね(笑)。

帰りなん、いざ

上村良介
沢木耕太郎

うえむら　りょうすけ　一九四六年、香川県生まれ。劇団主宰者。

当時、寺山修司が主宰する劇団「天井桟敷」と深い関わりを持っていた上村良介と知り合ったのは、私が二十三歳のときだった。TBSラジオの若いディレクターを介して知り合ったのだが、やがて二人だけで会うようになった。そしてすぐに、同世代であるはずの上村の大人びた語り口に反発しつつ幻惑されるようになった。どんな話題でも、思いもよらない角度から裁断していくのだ。たとえば、いまとなってはむしろ正統的とさえ言えるが、そのときは『あしたのジョー』をライバルの力石徹の視点から語りつづける上村に衝撃を受けたものだった。たぶん、私にとって上村は、サブカルチャーに対する好奇心の向け方を教えてくれる最初の教師だったのだろう。

あるとき、上村は彼の兄貴分といってよい東由多加と共に「東京キッドブラザース」のヨーロッパ公演に同行することになった。私も一緒に行かないかと誘われたが断った。しかし、帰って来た上村から聞いた旅先での話が、私をその一年後に西に向かわせるひとつの力になったかもしれないとも思う。

私が『深夜特急』の旅に出るとき、上村は餞別としてヨーロッパや北アフリカにおける「立ち寄るべきところ」の一覧表をくれた。それが私の持っていったほとんど唯一の「トラベルガイド」だったが、なぜか一カ所も立ち寄らなかった。

高松で行われたこの対談は、四国新聞の百二十周年を前にした二〇〇九年四月九日の記念号に掲載された。

（沢木）

故郷もまた旅

沢木　やあ。

上村　久しぶり。前に会ってから何年になる？

沢木　十五年、かな。

上村　そうか、そんなになるか。

沢木　僕は、そのさらに十何年か前に、上村が東京から高松に帰ると言った時、「どうして？」と訊いた気がする。その時、言葉としては「母親が……」というひと言だけしか出てこなかったような記憶がある。あらためて質問すると、どうして東京から高松に戻ろうということになったの。

上村　一つ大きいのは、身体を壊したということ。腰痛というか、椎間板ヘルニアになっちゃってね。ただ、高松に帰ってしばらくのあいだは、いずれ東京に戻るつもりだった。

沢木　そうなんだ。

上村　だから、アパートにも本やレコードや家具を全部残しておいた。でも、半年ぐらい高松にいるうちに「もういいや」と思うようになったんだろうな。その時、どこかに母親のこともあったかもしれない。それで一度、東京に行ったんだけど、友達に「本やレコードを全部片付けてほしい、欲しいものがあったらあげるから」と頼んだ。だから、身一つで高松に帰ってきた。不思議なことに、このあいだ本棚を調べていたら、東京で処分したはずの山村暮鳥《やまむらぼちょう》の詩集が一冊だけ残っていた。

沢木　山村暮鳥か……。僕は東京に生まれて東京で暮らしてきたから、どこかの街に出ていってそこから戻るという経験がない。でも、上村は東京に出てきて、東京からまた高松に戻った。戻ってから半年ぐらい経って、本当に高松に戻ることにしようと思った時、こちらで何をやろうと思ったの。

上村　ただの腰痛だから、すぐに死ぬとかというわけじゃない。

沢木　まあ、そうだ(笑)。

上村　毎日釣りをしていたな。釣りをして一日暮らしていた。すると、退屈するようになるじゃない。そんな時、カメラマンの友達から「ある企業の新しいPR誌を手掛けることになったので何か書かないか」という誘いがきた。「ギャラはいくら」と聞くと、これが結構いい金額でね。「それならいいか」と思った。高松で食っていけそうな仕事が見つかったというわけさ。沢木は昔、ルポライターになりたかったら、名刺を作ればいいと言ってたよね。

沢木　うん。名前の横にルポライターと書いたら、君はもうルポライターだってね。

上村　それで、自分の名前の横にコピーライターと書いた名刺を作った(笑)。

沢木　なるほど、それでコピーライターになった(笑)。

上村　ある日、また、東京に行ったんだ。友人たちと徹マンを二晩ぐらいやって、酒浸りだったこともあるんだろうだけど、朝方、渋谷駅に出て、スクランブル交差点を駅のほうに行こうとしたら、反対側から人がグワーッと押し寄せてきた。その時、恐怖を感じたね。そして「ここには住めない」と思った。そして「ああ、俺の東京は終わったな」と思った。

沢木　それがいくつの時になる?

上村　三十歳くらいかな。

沢木　いったん、東京を引き上げたのは二十六、七歳。

上村　いや、もうちょっと後、二十八、二十九歳くらい。
沢木　そのぐらいになっていたか。
上村　俺も記憶力が怪しいけど……。大体、二十代が終わる時という感じだった。
沢木　自分には帰るべきところがあるという感じだったの？
上村　どうかな。あったんだろうね。
沢木　歓迎してくれる人がいたのかどうかは知らないけど、帰る場所があったり、仕事を世話してくれる人がいたり、あるいは馴染みの酒場があったり、そんなものがあるっていう感じはあったの？
上村　あった。一番は人の関係だろうね。幼なじみがいる、というそんな感じだった。
沢木　例えば、上村には東京での人間関係もあったじゃない。寺山修司の「天井桟敷」を中心としたいろんな人間関係が。それはそんなに強固じゃなかったの。
上村　そんなことはない。その引力はとても強かった。東京には十年いたからね。若かったから無茶もしたし。だけど、いま思えば、東京にいた時代というのは、俺にとっては旅の時期だったのかもしれない。
沢木　まあ、そうなんだろうね。
上村　沢木はどこかに行っても東京に戻るわけじゃないか。
沢木　うん、必ず東京に戻ってくる。
上村　俺はたぶん、この高松に生まれ育って、東京暮らしという長い旅をして、またここに帰ってきたのかもしれない。
沢木　東京に出てきたばかりの、うんと若い時には、いつか帰るべきところとして生まれ育った高松があるという意識はなかったの。

上村 なかった。ずっと東京に住むと思っていた。だから、そういう意味では、沢木はいつも東京に帰ってくる旅をするわけだけど、俺は東京に行ったままでいるつもりだったから、それを旅とは思わなかったんだろうね。

沢木 そうか。でも、「天井桟敷」でいろんな人たちと知り合ったわけじゃない。「東京キッドブラザース」を作った東由多加をはじめとする多くの人と知り合って、さまざまなことがあって、そこでこの先、自分が何かを実現できるかなという可能性と、実現できないかなという可能性と、そこのところをどういうふうに判断したの？

上村 それはとっても残酷な質問だね(笑)。

沢木 あっ、そうか……。

上村 そりゃー行く時には、天下を取ると思っているさ(笑)。

沢木 やっぱり、そういうふうに思うものなの？

上村 天下を取るはオーバーだけど、自分がものになるとか、プロとして演劇に携わると思っているわけだから。そういう意味では、高松に帰ってきたのは都落ちさ。

沢木 そういう感じはあるんだね。

上村 とってもあったね。「負けた」という感じはどこかにあった。

沢木 僕は、いま中国の詩人の陶淵明を読んでいるんだ。このあいだ、ずっと中国を旅行してね。これまで僕は中国を旅行することがなかった。中国の周辺はかなり回ったんだけど。なぜかというと、中国では普通の人にはなかなか長期間のビザが出なかった。どうせ行くなら、短期間じゃなくて、満足するまで歩きまわりたかったんで、中国旅行を先延ばしにしていたんだ。それが最近、ビザが長くなった。三カ月のビザが出るようになったということを聞いて、実際に香港に行ってみると六カ月のビザが出るようになっていた。それで、今回、百日間くらい中国を歩きまわったんだ。僕は旅行する時にガイドブックの類いを持って行かないもんだから、どうしても行き当たりばったりになる。途中、たまたま九江という町に差しかかったら、その近くに廬山という小さな山があった。そのとき、おっ、これが廬山かと嬉しくなった。

上村 どうして?

沢木 僕はその中国の旅に出る時に本を三冊持って行った。そのうちの一冊が偶然にも陶淵明の詩集だった。

上村 沢木はいつも三冊だね(笑)。

沢木 そうだね(笑)。多いと重いからね。前に長い旅をした時は李賀だった。有名な白居易とか李白とか杜甫になると、中国詩人選だと二冊になってしまうわけ。陶淵明は李賀と同じく一冊だった。本棚にある詩人選の中から、ぱっと一冊抜き出したら、たまたまそれが陶淵明だったというわけなんだ。その陶淵明は科挙に失敗したため、あまり役人としては出世しなかったらしい。で、ある時、「もう故郷に帰ろう」という詩を作る。「帰りなんいざ」というフレーズが有名な「帰去来辞」。そして故郷の九江に戻ってくる。戻ってきて廬山を見ながら……詩では南のほうに見えるので南山と書かれているんだけど……農耕をやって、そこでの生活に充足するようになる。しかし、田園生活にすごく満足はしているんだけど、時に詩の一節に「実は自分にも思いはあった」というのがふっと出てくる。

上村　うん、その感じはよくわかる。

沢木　僕は中国から帰ったあとも陶淵明を読みつづけていてね。彼には、南山を見ながらの九江での農耕生活を「よし」としながらも、「思い」を果たせなかったということも残っている。昔なら僕はその「思い」のほうに関心を向かわせたはずだけど、いまはそれはさほどたいしたことはないという感じを持っている。

上村　それはどうして？

沢木　僕には、都での役人生活より、九江での田園生活のほうが圧倒的に素晴らしいと思えるわけよ。農耕生活だけが素晴らしいということじゃないけど……上村は料理できる？

上村　できるよ。一人暮らしだから、しないわけにはいかない。

沢木　上手？

上村　まあまあだね。

沢木　最近、僕が思っているのは、こういうことなんだ。東京にいる、あるいは都会にいるということは、自分のできること一つだけを特化して生きていくということになるんじゃないか。会社員なら会社に勤めるということに特化している。物書きなら文章を書くことだけに特化して生きている。他のことは金さえ出せば他の人がやってくれるからね。だけど、田舎というか地方というか、非都会で生きるということは、自分の持っている人間としての能力をいっぱい使わないと生きていけない感じがする。ただ、会社に行って、何かをやっているだけじゃなくて、場合によっては、自分で家の屋根を直さなければならないかもしれない。あるいは庭を手入れしなければならないかもしれない。近くに畑があったなら畑もやらなければならないかもしれない。人間が本来生きるためにやらなければならないことを、非都会の人は割と多くやっているような感じがする。

上村　高松はそこまで田舎じゃないけどね(笑)。

沢木　ハッハッハッ。でも、すごく「いいな」と思っているのは、人間が一人で生きていく能力を身につけることなんだ。一つの能力を特化させ、それに頼って生きている人より、一人の人間として生きていく広範な能力を身につけられている人のほうが、いまの僕の価値基準でいうと上位にくる。炊事、洗濯、掃除といった家事能力を含めて、男だって持っていたほうがいいに決まっている。そうすると、僕が思うには、都会で生きることは、人間が一人で全人間的に生きていく能力をどんどん削っているということになるんだ。だから、都会から非都会に戻るということは、いろんな負の要素もあるかもしれないけど、何か人間的というか人間が生きていく能力を回復させるためには必要なことなんじゃないかという気がする。

上村　なるほどね。ただ、どうなんだろう。沢木の言っていることもわかるけど、身もふたもない言い方をすれば、どこにいたって仮の宿という感じがないこともない。

沢木　そうか。

上村　だから、東京が旅だったという話もあったけど、故郷も実は旅でもあるわけよ。

沢木　昔も上村はそういう言い方していたなって思い出した(笑)。大学を卒業したばかりの僕にとって、上村がレトリックを駆使したり、逆説を多用したりしてものごとを裁断するのを驚きながら聞いていたもんだった。もっとも、心のどこかでは、きっと寺山修司の受け売りなんだろうなって思ったりもしていた(笑)。「故郷もまた旅」なんていかにも寺山さんが言っていそうだな。

上村　言ってねーよ。これはオリジナルだよ(笑)。

沢木　でも、「故郷もまた旅」というのはわかるような気がする。

上村　生きることは旅のようなものだとよく言われるよね。俺は香川に住むことが自分の宿命だと思っているし、ここでいかに心地よい付き合いをして、心地よい関係を整えようかと努力をしている。まあ、うまくいっていると思う。でも、これが金沢だったら駄目なのかといったら、そうでもないわけで、もし金沢に行ったら、まったく違う人生で、まったく違う仲間がいて、まったく違う環境を整えていたという気もする。でも、故郷には別の吸引力があるんだな。それを地縁とか血縁と言ったりするけど。あの横丁にはあいつが住んでいたとか、この路地の向こうにはお好み焼き屋があったとか、そういうことの引力は強いね。

沢木　それは故郷ということもあるのかもしれないけど、単純に空間のレベルの大小ということも少しは関わっているかもしれないね。要するに、ある空間を一つの面として知覚できるかどうかということ。僕たちが東京で生きるということは、日々、点から点を移動しているだけというか、せいぜい線ぐらいまでで、面となるところがほとんどない。自分が生まれた地域については辛うじて面として知覚はできるけど、すごく狭いわけ。もっと小さい都市で暮らしていれば、面として都市そのものが知覚できる。それはすごく人間的なことだと思える。右に行けば誰がいてとか、つぶれたけど、昔、ああいう店があってとか。頭の中で面としての地図が描けるわけじゃない。東京だったら、友達に会うにしても、どっかから出てきて渋谷や銀座で会うことになる。ところが、もう少し小さいレベルの都市や街だとすれば、共に生きている空間、共に生活している面の中で会うことができる。

上村　できる。

沢木　そういうことの重要さがある。

上村　沢木の言っていることはよくわかる。でも、それと裏腹に、香川は日本で一番小さい県だけど、県という単位でみると、実は未知な部分はいっぱいある。さっき一緒に歩いているときにバスのターミナルがあったよね。あそこから適当な行き先のバスに乗って、適当なところで降りる。そしてずっと歩いていたりする。そこはまったく見知らぬところ。俺たちは、香川は小さいと思っているけど、結構広くて、意外と知らないところがいっぱいある。香川はある種のテーマパークなのよ。そこで日当たりのいい場所で文庫本を読む。おにぎりとウーロン茶を持って散歩していると、結構、面白いものだなって思う。

沢木　何か老人っぽい話だな。

上村　老人っぽいか(笑)。もう老人だ。しょうがないさ。

沢木　でも、素敵だよ。

上村　沢木はそれこそ『深夜特急』で乗合バスに乗りつづけたよね。ひょっとして、その影響があったのかもしれない。バス散歩って俺の最近の「マイブーム」なのよ。漁村で降りて、漁村をぶらぶらしたりする。

沢木　それは面白いだろうな。さっき中国の話をしたけど、国境近くにカシュガルというところがある。新疆ウイグル自治区の外れで、さらに向こうに行くとパキスタンになる。中国の端っこの深圳から端っこのカシュガルまで今度も阿呆のようにバスに乗って行ったんだけど、途中で会った中国人に「深圳からバスで来た」と言うと驚いていてね。「こんなところまでバスで来られるのか」という。実は、中国はどんなところでもバスで行けるんだ。

上村　バスはいいよな。

沢木　中国では汽車のチケットを買うのが面倒くさい。だけど、バスは簡単に乗れる。バスを乗り継いで行くと、西安とか敦煌とかウルムチとかに行くことができる。まさにシルクロードだよね。その旅は面白かった。だけど、帰ってきて、あらためて僕は日本を知らないと思った。ずいぶん、世界中を回った。大袈裟に言うと、南極大陸以外はほぼ回ったんじゃないかと思えるくらい歩いた。その世界の国々もほとんどわからないことだらけだったけど、日本の国内のことはもっと知らなかった。この香川県にも何度か来たことがあるけど、何にも知らない。そこでまたさっきの話になるんだけど、僕のような東京で生まれ育った人間には、面で知っているところが本当にないんだ。だから、面で知っている土地を持っている人に対するうらやましさがある。どこかの小さな街、小さな都市で生きることによって面として知覚できている土地があることは、生きていく時にすごく支えになるような気がする。僕には点と線しかない。

上村　いや、どうなんだろう。旅に出るということは、世界を切り取ることでもある。世界を面では捉えられないかもしれないけど、点と線でしかないかもしれないけど、そこで出会った事柄、そこで知ったこと、体験したことは、自分を一つの容器とすると、それは丸ごと入ってくるわけだから、必ずしも面として理解できなくても、大きなものがどんどん入ってきて豊かになるという感じじゃないかな。

沢木　なるほどね。でも、どうだろう。例えば、上村の「東京キッドブラザース」におけるヨーロッパと北アフリカへの旅の体験はどうなっているのかな。

上村　うん、あれね。話がちょっと違う方向に行くかもしれないけど、まず沢木の話からさせてもらおうかな(笑)。

沢木　うかがいましょう(笑)。

あちら側に行くか、行かないか

上村　俺は、大体、沢木の仕事はチェックしているけど、こういうふうにあらたまったかたちで「対談する」というんで、昨日から久しぶりに『深夜特急』を読み返していたんだ。いや面白かったね。やっぱり「沢木は格好いい」と思った(笑)。

沢木　それは嬉しい。

上村　その後で、ふと思ったのは、沢木は絶対に向こう側に行かないなということなんだ。ストイシズムというものなんだろうけど、女がいるのになぜ行かないの、なんで薬をやらないの、「行きゃーいいのに」と思った。俺たちは半分ヒッピー、半分農協みたいな感じでヨーロッパや北アフリカを旅していたからね。

沢木　上村たちは奥に入り込んだというわけね。

上村　少なくとも俺は、もう、やることはやっちゃうというタイプだった。沢木は全然しない。欲望を解放しない。ハードボイルドでは、卑しき町をさまようナイト、というような言い方をするじゃない。旅はある種の地獄めぐりのようなところがある。その地獄めぐりの中で、絶対に自分の禁忌だとか、一種の価値観を崩さずに、向こう側に行かない。沢木のモラリスティックな感じがとってもさわやかなのよ。いまや、『深夜特急』は若い奴の旅の聖典になっているわけでしょう?

沢木　どうだろうね。

上村　これに騙されて行ってしまう(笑)。行った何人かは沢木と違って向こう側に行ってしまったはずだよね。

沢木　そうだね。

上村　それこそバックパッカーで、インドでハシシやったとか、イスタンブールで女とどうしたとか、そういう奴を俺もずいぶん見てきた。で、俺も実際に行ってみると、向こう側に行っちゃったというところがある。

沢木　行っちゃって、どういうふうに戻ってきたの？　あるいは戻らなかったの？

上村　いや、戻れなかったね。結局、あそこで得た価値観から逃れることはできなかった。沢木のよく言う自由と俺の言う自由は、ちょっと違うけど、俺は快楽主義みたいなところがあって、そこのところをどんどん解放した。もう人生をそこで決めちゃった。だから、あんまりモラルに対してうるさくなくなったし。

沢木　なるほど。

上村　沢木はその辺りがすごくしっかりしているよな。沢木に騙されて行ったまま戻れなくなった奴もいるけど、もちろん大半の人たちはすごく豊かな旅をして帰ってきたはずだ。たぶん大きくなって帰ってきた。功罪で言うと功のほうが大きい。でも、俺の場合はもっと自由にもっとすべてを解放した。

沢木　解放し、経験し、あちら側に行き、それで、こっちに戻ってきたというのかと思ったら、そうじゃなくて、向こうに行ったまま日本に帰って来ちゃったというわけ？

上村　そんな感じがするね。
沢木　面白いね。
上村　旅に出て向こう側に行ってしまった奴というのは外国にもたくさんいるじゃない。『シェルタリング・スカイ』のポール・ボウルズとか、ウィリアム・バロウズとか、彼らはモロッコのタンジールに行く。あそこでよれよれになって、へろへろになって、女を買ったり、男を買ったり。そして麻薬もやる。もう徹底的に行っちゃってるわけじゃない。
沢木　そう、行き切っている。
上村　行き切っている。沢木はそういう旅は絶対しないよね。
沢木　しない。
上村　それがすごいと思う。
沢木　言葉の額面どおりに受け取っておくよ(笑)。
上村　本当に皮肉じゃなくて。
沢木　そのことに対する肯定も否定もあるんだろうけど、それは、生まれ落ちた時にもう決まっていたような気がするな。上村も生まれ落ちた時にあちら側に行くように決まっていた(笑)。
上村　話が少し脱線するけど、俺はずっと沢木の色は白だと思っている。二十代のときに「さわやか沢木」なんてよくからかったしね。ただ、「黒・沢木」というのが出てきたことがあったね。初めて書いた小説の『血の味』。あれにはびっくりした。
沢木　そうなんだ。
上村　あれはどうなのかというのは、この後、飲む時にでも話そうか。

沢木　そうだね。その話はかなり個人的なことになりそうだから……。
　上村は若い子たちと付き合っているよね。若い子たちに対して、例えば、最近よく言われることで、外国旅行をしたがらない。大学生になっても、パスポートも取らない。昔なら、普通は二十歳ぐらいになると、旅行に行かないけどパスポートは取っていたよね。最近は外国に対して興味すら持っていないとか言われるけど。

上村　たとえ旅行には行っても旅はしない。

沢木　旅と旅行は違うという定義ね。だけど僕は旅行でも何でもいいと思うんだ。とにかく異国に行く。異国に行こうという意欲があるなら、いいと思う。

上村　なるほど旅行であっても。

沢木　行ってみれば驚くに違いない。やっぱり違うものを発見したり、うまくいかなかったり、いくら快適に組まれたツアーでも行ってみれば何か驚くことがあるかもしれない。

上村　異文化との遭遇ということでね。

沢木　だけど、行かなければ何にも遭遇することはできない。何も発見できない。問題はそもそも外国に行きたいと思わないという若者たちが多くなってきたということなんだろうな。実際、最近、僕も「なるほど」と思うことがあった。英会話学校のＮＯＶＡが破産して新聞などで叩かれた時、ある評論家が言っていたことがすごく新鮮だった。確かに、ＮＯＶＡは悪かった。いろんな不都合をいっぱいやった。だけど、あのＮＯＶＡの問題はそこが問題ではないんじゃないかと言うんだな。いままで日本人は、若者もお年寄りも英語に対して渇望があった。英語を身につけなきゃという強迫観念に近い渇望があった。それで英会話学校に入った。ところが、何らかの理由で挫折してしまった。挫折したのは学校が悪いからだというふうに考えるようになった。それを自分のせいにしなくて、すべて学校のせいにする。それは渇望感が弱かったからではないか。いま、中国とかシンガポールとか、あらゆる発展途上国の人々は英語に対する渇望感がものすごく強い。その英語に対する渇望感が日本では若い人たちを含めて希薄になっている。それを持っている人でも、自分が挫折すると、人のせいにしてしまう。というのは日本という国のすごい危機であり、NOVAの問題はNOVAだけの問題じゃなく、日本の人々の問題じゃないか、とその評論家は言うんだよ。僕にはちょっと新鮮だった。

上村　なるほど。日本は島国だから。もちろん中国、朝鮮の文化を受け入れて、それを加工していったし、戦後もアメリカの文化を受け入れつつ加工していった。どうなんだろう。アメリカという国が俺らの世代に与えた影響はものすごく大きい。その時に、確実に自分たちは英会話をやらなければならないという強い思い込みがあった。その延長上に小田実やミッキー安川のベストセラーがあった。

沢木　あったね。小田実は『何でも見てやろう』、ミッキー安川のは『ふうらい坊留学記』といったようなタイトルだった。

上村　沢木はアメリカを選ばなかったけど、俺はそういうものを読んでアメリカに行かなきゃと思った。ただ、いまの若い子たちはアメリカに飽きているということはあるかもしれないな。俺は高校の頃にとにかくアメリカに行こうと思った。アメリカの大々企業のGMとかエッソとかに手紙を書いた。「僕は前途有望な日本の若者です。アメリカに行きたいから経済的援助をお願いしたい」と。

沢木　へぇー、初めて聞いた(笑)。それで、リアクションはあったの。

上村　あった。ただ、段ボール一杯分の会社案内が来ただけだったけど。
沢木　ハッハッハッ。
上村　馬鹿なことをやっていたな。
沢木　馬鹿なことじゃないよ、すごく面白い。
上村　結局、そういうふうな方法ではアメリカに行けなかったんだけどね。ところで、沢木がユーラシアを選んだのは、というか、アメリカに行かなかったのはなぜ？
沢木　アメリカに行くというイメージがなかった。
上村　単にそれだけ？　反発じゃなかった？
沢木　全然。反発すらなかったぐらいで。文化やスポーツで強い影響を受けていたのに、全然、アメリカに行こうという気になっていなかった。いまでも理由はよくわからないんだ。考えてみれば、上村もそうだけど、僕と同世代の人はアメリカというイメージのほうが強いね。上村はまずアメリカに行ったもんな。
上村　いの一番にアメリカに行きたかった。
沢木　そうなんだね。
上村　いまでもニューヨークに行くと、何かすごく「帰ってきた」という感覚がある。すぐ馴染めるしね。
沢木　そうした感じは最初からあった？
上村　ここだ、ここだったら住めると思った。
沢木　僕の『深夜特急』になにがしかの影響力があったとして、もしかしたらあまりよくない方向に行ったかもしれないのは、「東南アジアはなんて面白いんだ！」となっていったことかもしれないと思う。日本の若者が旅行先としての東南アジアを「発見」した結果、英語に対する飢餓感を薄めてしまったかもしれない。東南アジアは英語を使わなくても何とかなる。場合によっては日本語だけで通してしまおうという奴もいたかもしれない。やっぱりヨーロッパに行ったり、アメリカに行ったりして、語学が不自由であることにガーンと衝撃を受けて、もう一回学ばなきゃという衝撃を受けないとね。東南アジアではそのショックを強く受けない。それは若干まずいことの一つだったと思う。タイだって、場合によっては中国もそうだけど、英語なしで過ごせるわけ。一度は英語が使えないとどうしても立ち行かない場所に身を置いてみないと、何かを学ぼう、何かを手に入れようという欲求が弱まってしまうんじゃないかな。それは若い人たちだけの問題じゃなくて、実は僕たちも同じような気がする。

上村　沢木だって言っているじゃない。現代はリアクションの時代になったって。

沢木　そう、アクションの時代ではなくなったって、ね。たぶん、積極的な欲望がなくなってしまったんだろうね。欲しいものがもうないわけよ。もしかしたら日本の国全体が、欲しいものがなくなっちゃっているのかもしれないね。

上村　俺自身ないもの。

沢木　ないね。それではやっぱり国は細るよな。

上村　欲望の行き着く果てかもしれないな。ローマ帝国の末期だ。

沢木　さっき、たまたま上村が「欲望を解放する」と言っていたけど、僕も最近気になってることがあってね。平日の夜の八時台と、土曜日の午後二時台だったかな。テレビを見ていて、二回驚かされた。チャンネルを回したら、ほとんどすべてのチャンネルで物を食うシーンが出ていた。土曜日はＮＨＫの教育テレビですら、その時、「中学生日記」の再放送か何かで、食事をする場面だった。さすがにＮＨＫ総合だけはやっていなかったけど、後は全部のチャンネルで物を食べていた。これは異様なことだよね。ある時、亡くなった、日本文学の翻訳者、サイデンステッカーさんが「最近、アメリカから日本に来て驚くのはテレビをつけると、いつも物を食べているところを見る。他の外国で、あんなに物を食べるシーンがテレビに出てくる国はまず一つもない」と言っていた。それは、まさにローマだよね。ドラマだけじゃなくて、バラエティー番組やニュース番組にまで「おいしい店」巡りのコーナーがあったりする。そこでは何やかんやと言って、出演者がみんな飯を食っている。一日のうち、一つか二つの番組ならまだいいよ。真面目にカウントしたら何十の食事シーンに遭遇することか。食い物に向かって、たった一つの欲望が解放され、向かっている。それは不気味だと思わない？

上村　例えば、書物に渇望していた時代が俺たちの若い頃にはあった。あらゆる書物があって、読んでない書物がたくさんあるわけじゃない。最近気がついたけど、新しいＣＤを買わなくなった。もう新しいものはいらない。過去でおなかいっぱい。映画のＤＶＤも百本も集めれば、新しいものはいらない。でも、食べることだけは日常だから、新しい物を食べましょうとなる。俺たちは活字も音楽も映像も全部手に入れちゃってる。でも、食事だけは日々の物だから、新しく欲望が向かう。

沢木　なるほど。でも、かなり異様に思うね。

上村　そうかもしれない。

学校としての酒場

沢木　年寄りっぽく「今の若い者は」という話はしたくないけど、最近若い人と話していて、かわいそうだなと思うことがある。
上村　ほう、どんなこと。
沢木　僕の考えの中に、旅も一つの学校だというのがある。旅をすることによってさまざま学んでいくということは間違いなくあるよね。
上村　ある。
沢木　もう一つさ、酒場も学校だったでしょう。
上村　だったね。
沢木　上村が以前四国新聞のコラムで書いていた「J」というのは、新宿の「ジャックの豆の木」だよね。あそこは初めて上村に連れて行ってもらったところだった。あそこで、実にいろんな人に会った。赤塚不二夫をはじめとして、無名時代のタモリとか……。それも確実に一つの学校だった。その後、僕は銀座でも飲むようになったけど、そこでは吉行淳之介さんとか色川武大さんと出会って、一緒に飲むようになった。吉行さんとは小さな酒場で出会ったんだけど、あるとき、ちょっと上に行かないかと誘われて、高級クラブに連れて行かれて、女の子との対応の仕方とかを学習させてもらった。
上村　豪華な先生だね。

沢木　最近、気がつくと、吉行さんが僕らにしてくれていたようなことを、僕たちは若い人たちにしてこなかった。彼らが望まなかったのかもしれないけど。僕たちが吉行さんたちと付き合っていた時のようには、向こうもこっちに来なかったしね。先日、V6の岡田准一君と会って話した時、岡田君に「酒場は学校だった」という話をしたら「そんな感じは僕たちにはない」と言われた。文士だけじゃなくて、ミュージシャンにも俳優にもジャーナリストにも、昔は、そういう学校じみた酒場があったわけじゃないですか。いま僕らの世代は先輩たちのように「教師」として下の世代に対応してるかな、と思ってね。

上村　どうだろうね。

沢木　僕はしてない。

上村　俺は酒場で何を学んだかと言えば、いろんなことを教わったんだけど、一つは堕落する方法を学んだ。

沢木　なるほど。

上村　でも、さすがに自分が教師たる立場に立たされると躊躇《ちゅうちょ》する。堕落の方法を教授するなんてね。昔はそういう豪傑がいたもんだよな。酒の飲み方も、場合によっては荒れ方まで教わった。それこそ唐《から》十郎さんには喧嘩の仕方や人への絡み方も教わった。勝ち方や負け方。負けるときは徹底的にみじめに負けるべきだとか。

沢木　いいね。

上村　もっとも俺は本質的にまっとうな教師にはなれない。だから、生涯一生徒でいい(笑)。

沢木　ただ、学校としての酒場が消えつつあるのは間違いないないね。ここ一年ぐらいで僕たちが行っていた酒場が次々と消えていっている。もちろん経営者やバーテンダーが歳をとっていくということもある。不景気でやっていけなくなるということもある。しかし、いろんな人たちと会えた場がなくなっていくのは寂しいね。そういえば、このあいだ、ある老紳士と酒飲みながら話していたんだよ。その人はかつて大会社の経営者だった人なんだけど、「さっき知人に招待されて評判のフランス料理店で食事をしてきたが、そこの料理がピンとこなかった」と言うのね。「どうして」と聞いたら、「いまの流行りらしいけど小皿を次々と出してきて、料理のインパクトがまったくない」と言う。「フランス料理屋には、たとえば今日は牛肉のワイン煮込みを食べたいから、というんで行くんだろ」と言うわけ。「小さな料理を五皿も十皿も出したんじゃ、何を食べさせたいのかわからないじゃないか」とね。僕だったら、小皿が次々と出てきてくれたら簡単でありがたいんだけど(笑)。その時、何かを食べたいイメージがこの人にははっきりある。そのことが、この人をこの人たらしめているのかな、と思った。

上村　そういうことか。彼には「確固たる価値観」が備わっているということだね。「どっちでもいいや」ではない。

沢木　僕は「どっちでもいいや」だけど。

上村　「どっちでもいいや」では、さっきの話に出てきた教師にはなれない。

沢木　そうだね。

上村　俺らは価値を相対化してきた世代だから、確固たる価値観を持ってない。

沢木　そう、それが大きいな。

上村　価値や権威を徹底的に相対化していった。それ以前の人たちは確固たる権威や価値があった。

美学があった。彼らは反面教師だった部分もあるけど、導き手でもあった。

沢木 そうか、僕らは先生にはなれないんだね。

上村 なれないんだよ。

沢木 そういう話だったんだ。

上村 もう酒場で教わるという頑固親父というか、ある種の典型的な人がいなくなってしまった。俺らはずいぶん「いい人化」しちゃったもんな。物分かりがよくて。俺たちからは何も学べないんじゃないかな。

沢木 そうか。僕らが酒場で学んでいたのは、さっき上村が絡み方と言ってたけどまったくそうで、そういうことを含めた立ち居振る舞いを学んでいたわけだよね。

上村 そう。格好いい立ち居振る舞い。

沢木 それに対して、密かに真似るところがあった。だけど、すっきりした価値基準は持っていないにしても、そういう立ち居振る舞いを格好いいと思ってもらって、若い奴らが学びたいと思ってくれるくらいの、そういう格好よさを持った奴が僕たちの中にもいるんじゃないの。

上村 どうだろう。

沢木 いないかな。

上村 例えば、山口瞳という人がいるよね。彼は賭け事についてこう言っている。カモになっちゃいけない。だから、そこそこ強くなくっちゃいけない。だけど、勝ってはいけない。ちょいと負けてニヤッと笑って席を立つ。すごいと思った。やっぱり、こうじゃなくちゃね。

沢木 でも、山口さんはそんなこと実際にはやっていないと思う。

上村　たぶんね。言っているだけで。山口瞳だけには絶対会いたくなかったんだ。この人に見透かされたら俺は絶望する。それくらい尊敬していたから。

沢木　そうなの。

上村　東京にいた時も絶対に会いたくなかった。山口瞳に会ったことある？

沢木　うん。ある時、銀座の酒場に行ったら、隣に山口さんがいて、僕の靴を見て「おや、銀座もあれですね、運動靴で来る人がいるようになったんですね」と言うのよ。

上村　ハッハッハッ。でも、怖いな。

沢木　僕はスポーツシューズで行っていたからさ。ただ、向こうは僕のことを知っていたらしいんだ。要するに、それは指先でツンツンと突っつくようなもので、ちょっと一緒に飲もうよという感じだったのかな。そこから親しくなった。ただ、僕には、山口瞳の人生というのは「週刊新潮」に「男性自身」という長期連載を書くためにあったんではないかという感じがある。出来事のすべてを吸い寄せ、「男性自身」という物語を作っていった。運動靴を履くような若者が銀座の酒場に来るようになったんですねという感想も、そこに書くためにしゃべっているんだろうと思えなくもない。

上村　それは虚構とノンフィクションとの間にあるということ。

沢木　自分を虚構化しているということだね。

上村　つまりは山口瞳を演じている。

沢木　山口瞳は山口瞳を演じている。事実を引き寄せ、山口瞳に演じさせている。演じている劇場が「男性自身」だったわけ。しかし、その中に時々真実が現れる。

上村　『血族』はその時、どの位置にあるの。

沢木　あれもわかっているのに、わからないふりをして取材をしているわけだよ。

上村　あっ、そういうことか。

沢木　実は核心的な結論はわかっている。そこは、やっぱり作家だよね。

上村　その話はすべて沢木に返ってこない？

沢木　どうだろう。僕には返ってこないんじゃないかな。

上村　沢木はルポライターの時に、それこそニュージャーナリズムの嚆矢《こうし》のようになった。ニュージャーナリズムの旗手とか言われてね。その時、フィクションとノンフィクションの間を遊泳しているという感覚はなかったの？　それは自分を虚構化するということとは違うのかな。

沢木　違うんじゃないかな。ノンフィクションを書くに際して、僕が最初に心引かれたのは、自分をある現場の中に置いた時に、自分の視野に入ってくるものを徹底して描いていくということだった。それは自分を虚構化するというのではない。自分がそこの中に存在するということは、まったくリアルな話だから。

上村　なるほど。

沢木　ハードボイルドの小説の多くは一人称だよね。一人称の主人公が、ある町を歩いていく。事件を解決するために、いろんな関係者に会い、事件の核心に向かっていく。だけど、僕たちが読んでいるのは、主人公がどんな人とどんなやり取りをして、どんな風景の中を生きているかということなんだよね。それがハードボイルドの根幹にはある。僕は同じことが、ノンフィクションでも成立するんじゃないかと思った。僕がいて、僕がいろいろと取材をする。極端に言えば、出来事の現場で生きていく。そのプロセスの中で、そこを生きている僕の目に映ったものを描いていけば、それは何かになり得るだろうと。

上村　俺がとても好きなのは『檀』なんだけど。あの時、沢木は主人公の檀ヨソ子さんに対して、どのくらいの思いがあったの。距離感として、すごく寄り添っている感じがした。

沢木　娘さんの檀ふみさんが「本当に申し訳ないわ。カウンセリングを一年間やってくれたようなものね」と言っていた。

上村　そこまで、異性のしかも年代も違う人に寄り添っていく時に、ある種の錯覚、自分がヨソ子さんで、ヨソ子さんが自分の中に入ってくるという時はあるの？

沢木　それはない。その時、ヨソ子さんは自分が何かを吐き出してしまうことに対する恐れを持っていて……。

上村　そうだろうね。それを取り除くことが大変だった。

沢木　それを受け入れて、彼女がだんだん自分を新しく発見していく部分もあったり、思い出してくる部分もあったりして。そうやって、一年間付き合った。しかし、作品が完成して「本当に素晴らしいものを書いてくださってありがとう」というふうにはならなかったのがすごく面白い。

上村　ならなかったの。

沢木　そうじゃなくて。「どうして私はしゃべっちゃったんだろう」って、ことだよね。

上村　そうなんだ。

沢木　しゃべらなければ、まだ自分の中に檀一雄はいたのに。

上村　あっ、そうか。

沢木　それは僕にとっては最大の褒《ほ》め言葉ではあるわけ。だけど、当人としては本当に切実に「自分の中にあった檀一雄がいなくなった」という思いはすごく強い。

上村　沢木の中にヨソ子さんが憑依《ひょうい》していくのではないかとちょっと思っていた。

沢木　そういうのはない。僕がカウンセラーだったとするよね。カウンセラーがそうなった場合は非常に混乱するじゃないか。僕の中では、そこは残酷な話だけど、やっぱり面白いものを書きたい。面白いものを手に入れたい。心が動くような話を聞きたいという思いがあった。

上村　面白いというだけじゃ、書く動機にならない。むしろ、ヨソ子さんに対する尊敬だとかはなかった？

沢木　最初は義侠心だね。山口二矢に対する義侠心とか。カシアス内藤に対する義侠心とか。僕が動き出すときの最初の一蹴りとでもいうべきものに義侠心はものすごく大きい。

上村　義理と人情なんだ。

沢木　そう。非常にクラシカルな感じ。

上村　俺も義理と人情だね。

沢木　そうなんだ。

上村　それだけあれば、生きていける（笑）。

沢木　そう、生きていけた（笑）。

上村　いけたし、いける（笑）。

滅びへの向き合い方

沢木　ところで、上村がこの香川の大学で教えることになったというのはどういう経緯からだったの？

上村　新しい学科ができるということで、教授といっても、特例教員という立場なんだけど。

沢木　特命教授とか特任教授とかいう類いのものね。

上村　まあ、そんな感じ。立ち上げの五年間だけやってくれないかということだった。五年で終えて、全部やめるわけにもいかないから講師として授業はしているけど。そう言えば、そこにも義侠心はあったね。

沢木　なるほど。

上村　新しいことを始めるっていうのは面白いじゃないか。そもそも、その新しい学科というのが奇妙なものだった。カルチュラル・マネジメント学科といって。何をやっているのかわかんないような。俺も最後までわかんなかったけど。とりあえず、最初はどうやって学生を集めるかに血道《ちみち》を上げた。

沢木　それは面白そうだね。

上村　田舎の一流ならぬ何流か大学だから全学部で定員割れ。うちの学科だけは一倍以上の倍率を出そうと頑張った。宣伝をはじめとして何から何まで知恵を出し合ってね。いろんなアイデアを出して、やっと一倍以上の倍率が出た。これもある意味で義侠心かもしれない。

沢木　劇団は？　いまでも続けているわけでしょう。どういういきさつからこの高松で立ち上げることになったの？

上村　東京から帰ってしばらくしてからのことだけど、俺が東京で芝居をやっているということを高松市役所の人がなぜか知っていた。それで一九七九年、いまからちょうど三十年前に、国際児童年があって、子どもの芝居をやってくれませんかというオファーがあった。俺が宮沢賢治の『銀河鉄道の夜』を脚色したいと言うと、それが通った。で、『銀河鉄道の夜』制作委員会を作った。最終的に『銀河鉄道の夜』とは関係のない作品になっていったけど、タイトルは『銀河鉄道』という芝居を作ることになった。

沢木 『銀河鉄道の夜』と関係のない『銀河鉄道』。なんとなく上村らしいね(笑)。

上村 それが終わって、ちょっと心残りはあったんだけどまぁいいかと、それからは堅気に徹するつもりだった。そうしたら何カ月後かに、一緒にやったメンバーから、俺のところに電話が掛かってきたのよ。もう一回やりたいと。で、やってやろうかな、と。

沢木 義理と人情(笑)。

上村 そう(笑)。あの電話がなかったら、まったく違う人生になっていただろうな。

沢木 運命の電話(笑)。

上村 今度は大人の芝居を一本やってやめようかと思ってね。それで二作目をやったら、また、しばらくして電話が掛かってきて、三作目をやりたいと。いまでも一作ごとに解散するような感じなんだけどね。

沢木 なるほど。公演は一年に一回の劇団なんだね。

上村 そう、ほぼ一年に一回かな。

沢木 そのたびに上村が台本を書いているわけ?

上村 うん。芝居の台本はルポルタージュの書き方とはまったく違う。制約があるんだ。映画とか小説とかとは違って、舞台というのは融通の利かない空間だからね。そんな制約の中で、ただ面白ければいいやと思いながら、デタラメ書いているんだけど(笑)。でも、そこには何らかの自分が出てしまうのかな。最初の二、三作までわからなかったけど、俺はずっと同じことを言っているんだって気づいた。

沢木　それは？

上村　言葉にすると、集合と離散。人は集まり群れるが、やがて、バラバラになってしまう。これは俺の世の中に対する一つの見方なんだ。

沢木　そう考えるようになった大本はどの辺にあると自分で理解しているの？

上村　やっぱり東京時代の劇団というのがある。人が群れる装置としての劇団。でも劇団って不滅じゃないんだな。いつかは滅びる。消えてなくなる。もう一つはあの頃の学生運動。人が集まって、みんなでワイワイやって、ひとつの時代を過ごし、やがて一人去り、二人去りして、そして誰もいなくなってしまう。そんな寂しさが好きなんだ。

沢木　そうか。

上村　後に残らないものが好きなんだろうな。俺は、芝居の台本も全部捨てちゃうし。

沢木　僕はまったく正反対かもしれないな。僕は残そうと思う。僕が他のノンフィクション作家と違っていたとすれば、そこにものすごく意識的だったこと。できるかぎり時間に耐えられるものを書こうと思っていた。古びるものを絶対に排除していくと最初から思っていた。だから文章に流行語は一切入れない。そこから文章が腐っていくと思っていたからね。

上村　俺は滅びるのが好きだった。

沢木　違うね。

上村　これってたぶん、一九六〇年代後半から一九七〇年代に若い頃を過ごした人たちのある種の一つのタイプかもしれない。

沢木　そうかな。

上村　滅びることがとっても大事だった時期がある。旅だって、考えてみれば、滅びと背中合わせにあるような感覚があっただろう、刹那《せつな》的な。

沢木　僕も、滅びるとか、敗れるとかというものに対する関心は強く持っていたと思う。ただそれについて書いた作品は滅びるものではないというか、できるだけ残るものをと思った。僕自身が滅びるものとか敗れるものとかに対して、本当に同化しているならば、自分自身が書くものに何か時代に耐えられるものなんてふうにと考えないはずだ、だからお前の思いにはどこか嘘っぽいところがあったんじゃないかと言われれば、そうなのかもしれない。時代に爪痕を残すという言い方をする時、僕は爪を立てさえすればいいとは思わなくて、爪痕をちゃんと残さなきゃならないと思っていたと思うな。確固としたものを作りたいって、たぶん二十二、三歳の頃から思っていた。

上村　健全だ(笑)。

沢木　僕は健全だと思う。基本的に僕はまっとうな人間だと思う。僕はそういうふうに子どもの頃から生まれ育ったんだろうなと。

上村　やっぱり「さわやか沢木」か(笑)。

沢木　話は変わるけど、上村は9・11の同時多発テロの時にニューヨークにいた?

上村　どうして。

沢木　なんか、上村が書いているコラムで読んだような気がしたもんだから……。

上村　いない、いない。俺がコラムに書いたのは、翌年の9・11、グラウンド・ゼロに行ったっていうエピソード。

沢木　あっ、そうなのか……。僕は、あのとき九月十日に成田を発って、まさにその瞬間にバンクーバーに舞い降りた。

上村　情報は入っていたの。

沢木　入っていない。突然、バンクーバーの空港で飛行機から出られなくなってしまった。

上村　閉じ込められた。

沢木　そう、全然動けなくて。それでも、なんとか数日後には出発できて、サンパウロからアマゾンに入っていくことができた。

上村　ああー、あのセスナ機の墜落の時か。

沢木　そう。9・11をわずかにかわしたと思ったら、アマゾンで乗っていたセスナ機が墜落してしまった。

上村　で、死の間際に行った。

沢木　間際かどうかはわからないけど、かなり近くまで行ったことは確かだった。上村は、死の近くに行ったことってある？

上村　もう死ぬんじゃないかっていうこと？

沢木　そう自覚するということがあったのかな。

上村　あった。ある時、歩いていて心臓がドキンときて、あっ、狭心症だなと思ったんだけど。電柱に抱きついていて、たぶん死ぬなと思った。そういうのは何回かある。朝起きてよく死ななかったなーとかね。

沢木 へぇー、それも初めて聞いた。

上村 沢木は飛行機事故に遭ったことが、何かトラウマになっていない？

沢木 まったく。もう人生を十分楽しんだような気がするからね。誰かに背後からトントンと肩を叩かれて明日ご臨終ですと言われても、神様には文句を言わない。

上村 俺にはそれはない。全然違う。

沢木 そう。

上村 ものすごくあるね、未練が。命に対する欲は深い。よほど業《ごう》が深いんだなと思う。

沢木 意外、意外。上村、これからまだ何十年も生きたいの？

上村 生きたい。九十歳までは生きたい。老いを経験したいし、孤独とか死にゆく恐怖を味わってみたい。

沢木 なるほど。

上村 俺が独り者だからかもしれないけど。ものすごい恐怖や老いや孤独が来るだろうと思う。それを体験したい。でも、それすら俺には快楽に転換できる……。

沢木 という自信があるのね。

上村 やっぱり、どっか、ぶっ飛んじゃってるんだろうね(笑)。

沢木 すると、この世の中がどんなふうに移り変わっていったかということを、僕はあの世で上村から聞くことになるんだな(笑)。

「きく」ということ

1

ノンフィクションを書きつづけてきた私にとって、そのもっとも重要な作業のひとつにインタヴューというものがある。ノンフィクションのライターの仕事とは、インタヴューに始まりインタヴューに終わると言っても大袈裟ではないと思えるほど重要かつ基本的なものだ。

それは主として二つの目的のために行われる。

ひとつは、ノンフィクションの書き手が自分にとっての未知の「こと」を知るために行うものである。たとえば事件の真相に辿《たど》り着くために、あるいは組織の実態を明らかにするために、あるいは埋もれている歴史の闇に光を当てるために、などさまざまな「こと」を知るためのインタヴューが必要となる。

もうひとつは、「ひと」を知るためのものである。そこでは、相手から「こと」に関する知識を手に入れようとするのではなく、相手の「ひと」そのものを知るためにインタヴューが行われる。そのとき、インタヴュアーは、何を訊《き》き出したいか明確にはわからないまま、手探りで質問を重ねていくこともある。それはそのインタヴューが話をしてくれている人の心の内奥に触れようとするためのものでもあるからだ。

もちろん、それら二つのインタヴューは相互に深く関わっているが、本質的には異なる方向性を持っている。なぜなら、第一のものは、相手の「知っていること」を訊こうというものだが、第二のものは、相手の「知らないこと」までも訊き出そうとする作業であるからだ。

とりわけ人物論を書こうとするとき、私たちは相手の「知っていること」ばかりでなく、「知らないこと」までも知ろうとする。つまり、自分の意識していないことまで話してもらおうとするのだ。そうした作業は、何も精神分析の専売特許ではない。私たちが日ごろ行っているようなジャーナリズムのインタヴューにおいても、自分がいま思いがけないことをしゃべっているという事実に愕然《がくぜん》としている、という相手に遭遇することは珍しくない。

この、「ひと」を知るという第二の目的が、インタヴューと対談を近接させることになる。

2

もちろん、対談とインタヴューは異なるものである。

インタヴューが訊《たず》ねる人と答える人が固定化された一方向のものであるのに対して、対談はその役割が一定ではなく、変化し、何度も逆転したりする双方向のものである。

だが、いずれにしても「訊いて、聴く」という原則は変わらない。訊き方にできるだけの工夫をし、相手から出てきた話に注意深く耳を傾ける。

私は年に一、二度に過ぎなかったが、それでも比較的コンスタントに対談の経験を積み重ねていくうちに、対談だけでなく、インタヴューにとっても大切なあることに理解が及ぶようになった。

よりよく「訊いて、聴く」ためには、「訊く」と「聴く」の間に「話す」という要素が入らなくてはならないということである。

そんなことを言うと、どこからか「当たり前ではないか」という半畳《はんじょう》が聞こえてきそうな気がする。ひとりが「訊く」と、訊かれた相手が「話す」ことになり、それをまた「聴く」ことになるのだからと。

まったくその通りである。

しかし、私がここで「話す」という項目をあえて「訊く」と「聴く」の間に挟んだのは、訊かれた人にとっての「話す」ではなかった。「訊いて、聴く」まさにその人が、「訊く」と「聴く」の間に「話す」必要があるということだったのだ。

3

対談をしていると、流れの中で話の核心がうねるように変化していく。そして、そのうねりの中から不意に面白い話が飛び出してくる。そういう経験を重ねて行くと、相手の面白い話を引き出す契機になるのは、自分のちょっとした話からであるのに気がつくようになる。

何が契機となるのか事前に予測することはできないが、自分が話すことによって、ただ一方的に「訊いて、聴く」ということだけに専念しているときとは異なる、生き生きとした反応が相手側に生まれることがあるのだ。

それについてはっきり意識するようになったのは、淀川長治さんとの対談からだったような気がする。

ホテル内の中華料理店に設けられた対談の席では、淀川さんがよくしゃべってくださった。それは、たぶん、どんな方と対談しても変わらない淀川さんのスタイルだったのだろう。こちらはただ相槌を打ち、笑っているだけで時間は過ぎていき、淀川さんの独演会の様相を呈してきたが、私はもともとそのつもりで来ていたので、むしろありがたいと思っていた。

だが、その雰囲気が微妙に変化する時間帯が訪れた。

途中で、私が自分の父親のことを口にしたのだ。実は自分の父親も明治四十二年生まれなんです、と。淀川さんが生まれたのも明治四十二年であり、二人は同年生まれだったのだ。そのときは、「あら、そう」というようなリアクションに過ぎなかったが、父が成金の息子として定職を持たないまま書物を相手に一生を過ごしてきたというようなことを知るにつれて、私に対する態度に親愛の度合いが深まっていった。

それまでは、淀川さんにとって私は単に自分より若い文章の書き手というに過ぎなかった。ところが、同じ年齢の父親を持っているということで、その若さは息子の世代の若さであるということになったのだ。淀川さんには子供がいなかったが、まさに私はその「幻の息子」の世代だった。

しかも、私の父親は書物、淀川さんは映画と、それぞれの嗜好は異なるものの、そのために、堅気のサラリーマンや公務員ではない、どこかやくざな生活を選び取ってしまった者同士の親しみのようなものが生まれたらしい。それが私への親近感になっていったような気がする。

淀川さんがこんな話を始めた。

「あなたの時代と違うから、僕たち、徴兵検査いうのがあったのね。裸にされて尻の穴まで調べられるの。まともな人間なのに、かわいそうにね。それで、甲乙丙丁の点をつけるの。丁は身体障害者と、花柳病、もう戦争の役に立たんのが丁なのね。僕、丁だったの。だから、赤紙来ないの。目が近いし、身体は小さいし、非常に病弱だった。敗北する人間の悲しさが好きなのは自分にコンプレックスあったからだね」

「僕にもそういうところがあって、現実の世界でも、そういう人に深く関わっていってしまうなんていうことがあって……」

私がそう応じると、淀川さんが驚いたように言葉を引き取って言った。

「あなたが？　わからないものだね。あなたがここに入ってきたときは、体に塵《ちり》のひとつもついていない貴公子みたいに思っていたけど、実際は傷だらけの精神も持っているのね、どこかに。そうでないと、書けないものね、文章は」

そのとき、私は淀川さんが私の何かを理解してくれたのだなと思ったものだった。

対談は料理店の閉店間際まで続き、これで終わりにしましょうというところから、また驚くような話が出てくるという幸福感に満ちた一夜になった。

4

自分が話すことで相手に変化が生まれるということは、それまでも、対談ではなく、インタヴューをする中で実際に経験してきていることだった。

私にとって、それが最も印象的なかたちで記憶されたのは、井上陽水をインタヴューしたときのことだった。

ユーラシア大陸への長い旅から帰ってきたあとで、あまり収入のない二十代の私を救済してくれようと、NHKのラジオ番組制作者が、夜の若者向けのラジオ番組でインタヴューのコーナーを持たせてくれた。

週に一回、さまざまな世界で生きる人に会っていったが、あるとき、井上陽水にインタヴューできることになった。

当時、いわゆるニューミュージックと呼ばれるジャンルのアーティストには、メディアに出ないことが主たるメディア戦略だという人が少なくなかった。井上陽水はその代表格と目されていたので、よく出てくれたものだというのが局内の反応だった。

初めて会った同年代の井上さんは、意外に思えるほど礼儀正しく対応してくれた。しかし、インタヴューによって出てきた話の内容は、予測の範囲を大きく超えるような驚きのあるものではなかった。

だが、途中で、私が長期の外国旅行から帰って一年も経っていないことを知ると、儀礼的にどんなところが一番おもしろかったかと訊いてくれた。

そこで、私はアフガニスタンの砂漠地帯で見た光景を話した。

アフガニスタンの砂漠地帯をバスに乗って走っていると、遠くにいる遊牧民の羊の群れから一頭の犬が走り出してくる。恐らく、羊たちにとっての敵と認識してのことだろう。その犬が見る見る近づき、バスと併走し、いままさに飛びかからんとしているように見える頃、遠くから遊牧民の「ホーイ」というような声がかかる。バスに本当に飛びかかってケガでもされると困るからなのだろう。すると、犬は大きな弧《こ》を描いて元の羊の群れに向かって戻っていく。

それが、一匹だけのことではなく、羊の群れが姿を現すと、必ず犬がやってくるのだ。激しく吠え立てながら砂漠を疾走してくる。やがてバスが敵ではないと確認すると、大きな弧を描いて羊の群れに帰っていく。私にはその犬たちの姿が忘れられない……。

そんな話をすると、井上さんはほんのしばらく間を置いたあとで、ひとりごとのようにつぶやいた。

「それは、日本では、歌にならないだろうな……」

私はゾクッとした。彼は私の話を聞いてくれていた。それも耳を澄ますようにして。

彼には話が通じるのだ！

私には、その井上さんの言葉は、これまでの、メディアのインタヴューを受けているアーティストとしての答えとは違う、心の内奥から出た「本物」の感慨のように思えた。

5

インタヴューにおいても、こちらが何か話すことで急に生き生きしたものになっていくという経験は何度もしてきた。しかし、それを意識的に方法化することはなかった。

ところが、対談の経験を重ねていくうちに、よりよく「訊く」ためには、そしてその話をよりよく「聴く」ためには、まずこちらから「話す」ことが必要だということに気がつくようになったのだ。

だが、何を話せば、インタヴューや対談は生き生きと動いていくのか。

それは、たぶん、自分のことを知ってもらうのに役立つこと、なのではあるまいか。

巷《ちまた》に氾濫するビジネスの営業術に関するハウツー本などでは、できるだけ交渉相手にあなた自身のことはしゃべらないでおくと書かれていることが多いだろう。相手はあなたのことにそんなに関心がないのだから、と。

しかし、私は、たとえそれが一方向のインタヴューであっても、どこかで自分のことを話すべきではないかと思うようになった。

自分のこと——それは自分についてのことでもいいし、自分が考えたことでもいい。自分が見たり聞いたり読んだりしたもののことでもいいし、自分が旅してきた土地のことでもいい。

淀川さんの場合は、私が同年代の男の息子であるという些細なことが重要だったような気がする。ソングライターとして、日夜、詞のテーマについて考えている井上さんにとっては、アフガニスタンの話が、自分の住む世界とは異なる空間を旅してきた者として私をあらためて認識し直してくれる契機になったのかもしれない。

いずれにしても、そこから対談やインタヴューが深まっていった。それはなぜか。それまでの私は、名前だけののっぺらぼうの存在に過ぎなかった。だが、私が自分についての話をすることで、そこに顔が入ったのだ。淀川さんや井上さんにとっては、ようやく、人を相手の会話ができるようになった。

ただひたすら「訊いて、聴く」だけでは、本当に聴きたい話は相手から出てこない。

名刺を出し、ただひたすら「訊く」だけの人は、そこにどのような会社名や肩書が書いてあろうと、のっぺらぼうのままである。人はのっぺらぼうの相手に本当に大事な話をしはしない。どのタイミングでもいいが、自分がどんな人間であるか理解できる瞬間を提供する必要がある。

そうか、この人は、こういう人なのかと、名刺を離れて、だから肩書を離れて理解できたとき、話は弾んでいくことになる。

問題は、どのように「自分」を伝えるかということだ。

どのタイミングで、どのような話をするか。私は、インタヴューのときに、そこに留意するようになった。

だが、やがて、その作為は無用だと思うようになっていった。どのタイミングでもよく、どんな話でもいいのではないかと思うようになったのだ。

私と相手。二人のあいだに言葉の水路がつながれば、自然と言葉は流れてくるようになる。相手に、自分のこの話を私に聞かせたいと思ってもらえればいいのだ。それは自分のことを理解してもらいたいという願望を抱いてもらえればいいということと同義のことでもあった。

つまり、水路がつなげられるかどうかはこちらの人間としての力量そのものの問題だったのだ。

沢木耕太郎

沢木耕太郎

1947年東京に生まれる．横浜国立大学卒業後，ルポライターとして出発．79年に『テロルの決算』で大宅壮一ノンフィクション賞，82年に『一瞬の夏』で新田次郎文学賞，85年に『バーボン・ストリート』で講談社エッセイ賞を受賞．ノンフィクションの新たなジャンルを切りひらく．『深夜特急』は幅広い世代に影響を与え，いまもロングセラーとして読み継がれている．
2006年には『凍』で講談社ノンフィクション賞，14年には『キャパの十字架』で司馬遼太郎賞を受賞．当代きってのインタヴュアー．また長年，映画評を書き，『世界は「使われなかった人生」であふれてる』などにおさめる．『血の味』『春に散る』など小説も執筆．「沢木耕太郎ノンフィクション」シリーズ(全9巻)も刊行．

沢木耕太郎セッションズ〈訊いて、聴く〉II
青春の言葉たち

2020年3月10日　第1刷発行
2020年4月24日　第2刷発行

編著者　沢木耕太郎《さわきこうたろう》

発行者　岡本　厚

発行所　株式会社　岩波書店
〒101-8002　東京都千代田区一ツ橋2-5-5
電話案内　03-5210-4000
https://www.iwanami.co.jp/

印刷・三秀舎　カバー・半七印刷　製本・松岳社

ISBN 978-4-00-028078-5　　Printed in Japan

沢木耕太郎セッションズ〈訊いて、聴く〉全四冊

四六判、平均三二〇頁、本体各一七〇〇円

I 達人、かく語りき（人物）

II 青春の言葉たち（青春）

III 陶酔と覚醒（旅・冒険・スポーツ）

IV 星をつなぐために（フィクションとノンフィクション）

岩波書店刊

定価は表示価格に消費税が加算されます
2020年4月現在